Cahier d'exercices

ROND-POINT

1

Méthode de français basée sur l'apprentissage par les tâches

Ce cahier d'exercices est basé sur une conception didactique et méthodologique de l'approche par les tâches en langues étrangères développée par Ernesto Martín Peris, Pablo Martínez Gila et Neus Sans Baulenas.

ROND-POINT 1
CAHIER D'EXERCICES

Auteurs
Josiane Labascoule
Philippe Liria
María Rita Rodríguez
Corinne Royer

Édition
Agustín Garmendia Iglesias, Eulàlia Mata Burgarolas

Correction
Josette Noëlle Cartier
Christian Lause

Conception graphique
A2-Ivan Margot

Couverture
A2-Ivan Margot ; illustration : Javier Andrada

Mise en page
A2-Anna Campeny

Illustrations
Javier Andrada, David Revilla

Enregistrements
Voix : Carine Bossuyt, Christian Lause (Belgique) ; Richard Balamou (Côte d'Ivoire) ; Nicole Berdah, Katia Coppola, Catherine Flumian, Philippe Liria, Corinne Royer (France)
Studio d'enregistrement : CYO Studios

Photographies et images
Toutes les photographies ont été réalisées par Marc Javierre Kohan sauf : Frank Iren : p. 7, p. 86.
© photographies cédées par Tourisme Québec : p. 24 (1e et 4e), p. 88 (2e et 3e). Frank Kalero : p. 8, p. 9, p. 11, p. 42, p. 47 (A), p. 70. Thomas Iglésis – Association Mot à mot, p. 73.

Réimpression : avril 2009

ISBN (édition internationale) : 978-84-8443-161-9
D.L. : B-23.253-2004

Imprimé en Espagne par Tallers Gràfics Soler, S.A.

difusión
Français
Langue
Étrangère

C/ Trafalgar, 10, entlo. 1a
08010 Barcelone. Espagne
Tél (+34) 93 268 03 00
Fax (+34) 93 310 33 40
fle@difusion.com

www.difusion.com

AVANT-PROPOS

Ce *Cahier d'exercices* est le complément indispensable du *Livre de l'élève* et permet à l'apprenant de consolider les connaissances et les compétences linguistiques acquises en classe. Les activités visent à renforcer le système linguistique (morphosyntaxe, lexique, orthographe, structures fonctionnelles, discursives et textuelles) étudié dans le *Livre de l'élève* sans perdre de vue les perspectives communicatives.

Comme pour le *Livre de l'élève*, nous avons voulu mettre en avant les démarches préconisées dans le *Cadre européen commun de référence pour les langues*.

De nombreuses activités portent cet icone afin d'indiquer, d'une part, les activités d'auto-évaluation et de réflexion sur les stratégies d'apprentissage qui aideront l'apprenant à confectionner la « Biographie linguistique » de son Portfolio et, d'autre part, les activités qu'il pourrait incorporer à son « Dossier ».

La structure du *Cahier d'exercices* a été conçue de manière à ce que l'apprenant réalise un travail personnel et qu'il mette en place des stratégies d'auto-apprentissage.

LES EXERCICES

Chaque unité de ce *Cahier* comporte un ensemble d'exercices en contexte, indispensables à la consolidation des aspects formels abordés dans le *Livre de l'élève*.

Quant aux compétences développées, une importance toute particulière a été accordée à la compréhension orale et à l'expression écrite.

UNE PLACE POUR LA PHONÉTIQUE

Chaque unité comprend une partie consacrée à la phonétique. Les élèves y trouveront systématiquement des documents sonores qui leur feront découvrir et surmonter les difficultés spécifiques du français. Il est conseillé de réaliser ces activités avec un professeur pour garantir une meilleure prononciation et une production orale en général plus correcte. D'autres exercices permettront à l'apprenant de compléter ou de reprendre de façon autonome le travail fait en classe.

L'apprenant pourra ainsi se familiariser non seulement avec les différents sons de base de la langue française, mais aussi avec l'intonation et le rythme de cette langue. À l'enseignant de compléter ou d'adapter certaines activités aux difficultés spécifiques de sa classe.

VOS STRATÉGIES POUR MIEUX APPRENDRE

Cette rubrique permet aux élèves de réaliser des activités d'apprentissage au cours desquelles ils expérimentent l'application de certaines stratégies utiles à l'acquisition et à la consolidation d'une langue, quelle qu'elle soit (y compris la langue maternelle).

À la fin de ces activités, la fiche « Stratégie » propose une réflexion sur la compétence ou la stratégie que les apprenants ont utilisée.

AUTO-ÉVALUATION

Toutes les trois unités, nous proposons trois pages d'auto-évaluation qui permettront à l'apprenant de faire un bilan de ses acquis, essentiellement grammaticaux et lexicaux. L'apprenant trouvera, dans cette section, des exercices concernant des points bien précis de langue et d'autres combinant différents éléments étudiés en classe. Il sera amené à réfléchir sur son propre processus d'apprentissage et les difficultés qu'il a rencontrées. Il s'agit bien d'une auto-évaluation et, dans ce sens, une fois les exercices réalisés et corrigés, c'est à l'apprenant de mesurer le degré de difficulté qu'il aura eu à les faire et de décider de revoir ou pas tel ou tel point de langue contenu dans ces unités.

LE NOUVEAU DELF : PRÉPARATION AU A1 ET AU A2

Le Diplôme Élémentaire de Langue Française (DELF) a été actualisé et harmonisé avec le CECR. Ce diplôme officiel comprend quatre modules (A1, A2, B1 et B2).

Dans ce *Cahier d'exercices*, nous avons voulu proposer à l'apprenant une préparation progressive au A1 et au A2, dans un souci de combiner les contenus du DELF général avec ceux de sa version scolaire. À la fin de chaque unité, ces exercices d'entraînement, précédés de conseils, permettront à l'apprenant de se présenter au A1 et au A2... et de le réussir, bien évidemment !

Enfin, comme dans le *Livre de l'élève*, nous avons voulu prendre en compte la réalité et la pluralité du monde francophone à travers des clins d'œil à des habitudes, des traditions, des lieux différents. De même, la langue utilisée dans les multiples activités de compréhension orale prétend être le reflet de la diversité de la langue française tant par son lexique que par la chaleur de ses différents accents.

TABLE DES MATIÈRES

Unité 1
QUI SOMMES-NOUS ?

1. Placez les pronoms personnels toniques quand c'est nécessaire et conjuguez les verbes **s'appeler** et **croire**.

[handwritten conjugation table:]
je crois — nous croyons
tu crois — vous croyez
il croit — ils croient

[handwritten:] reflexive verbs?
moi, je m'appelle — nous, nous nous appelons
tu, tu t'appelles — eux, ils s'appellent
lui, il s'appelle — elles, elles s'appellent
elle, elle s'appelle

a. ● Moi, je m'appelle Bruno. Et vous ?
○ Cédric, et elle, elle s'appelle Laetitia.

b. ● Monsieur et Madame Dupont ?
○ Oui, c'est ....
■ Vos prénoms, s'il vous plaît ?
● Moi, je (s'appeler) .....m'appelle..... Élisabeth, et ....lui......, c'est Henri.

c. ● Tu (s'appeler) ...t'appelles... bien Karine Lamer ?
○ Non, je (croire) ....crois.... que c'est une erreur. ...moi..., c'est Anne Lemaire.
■ Karine, c'est ...elle... là-bas.

d. ● Vous (s'appeler) ...vous appelez... Gérard Pasquier, n'est-ce pas ?
○ Oui, et ....vous....., Arnaud Teyssou ?

e. ● Patrick Lenoir ?
○ Je (croire) ...crois... que c'est ...lui....
[handwritten:] I believe that it's him.

f. ● Excusez-moi, vous savez qui c'est ?
○ Il (s'appeler) ...s'appelle...
Sébastien Le Gal.

g. ● Et comment tu (s'appeler) ...t'appelles... ?
○ Pierrick. Et ...toi... ?
○ ...Moi..., c'est Lucille.

2. Ces noms apparaissent dans l'unité 1 du *Livre de l'élève*. Écrivez devant ces mots.

le ou **l'** (devant voyelle et **h** muet) si vous pensez que c'est un mot masculin
la ou **l'** (devant voyelle et **h** muet) si vous pensez que c'est un mot féminin
les si vous pensez que c'est un mot pluriel

[handwritten annotations: "uh" / "lay" / the Netherlands / feminine]

le cinéma	les Pays-Bas	la tradition	la cuisine
l' histoire	la mode *(feminine)*	la Islande	les gens
les lettres	la littérature	le vin	le monde
l' affaire	la France	le sport	la chanson
le tourisme	les sons	l' alphabet	

3. Construisez des phrases à partir des éléments de la dernière colonne et choisissez **parce que** ou **pour**.

		a. le travail.
		b. c'est une belle langue.
		c. j'aime les langues.
Pourquoi tu apprends le français ?	Parce que Pour	d. mes études.
		e. connaître une nouvelle culture.
		f. je veux visiter Paris.
		g. parler une nouvelle langue.
		h. faire du tourisme.

4. Dites si, dans les situations suivantes, vous devez utiliser **tu** ou **vous**. Et dans votre langue, est-ce la même chose ?

A
D
E
G
I

	En français		Dans votre langue	
	tu	vous	tu	vous
Vous parlez avec votre chef au travail		✗		
Vous parlez avec un collègue au travail	✓			
Vous parlez avec votre meilleur(e) ami(e)	✓			
Vous parlez à votre professeur		✓		
Vous demandez des informations dans la rue		✓		
Vous parlez avec un membre de votre famille	✓			

5. Faites correspondre les pronoms sujets (à gauche) et les verbes (à droite).

a Je 5
b Tu 1
c Il 6
d Nous 2
e Vous 4 ("cat")
f Ils 3 ("twa")

1 crois que ça, c'est la France ?
2 nous appelons Marc et Antoine.
3 s'appellent Frédéric et Karine.
4 croyez que le français est facile ?
5 m'appelle Sophie.
6 croit que cette photo, c'est la Grèce.

6. **A.** Deux personnes viennent s'inscrire à un cours d'anglais. Écoutez les dialogues et remplissez les fiches suivantes.

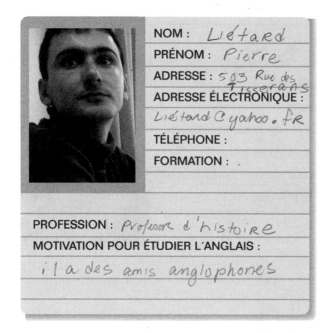

NOM : *Liétard*
PRÉNOM : *Pierre*
ADRESSE : *503 Rue des Tisserans*
ADRESSE ÉLECTRONIQUE : *Liétard@yahoo.fr*
TÉLÉPHONE :
FORMATION :

PROFESSION : *Professeur d'histoire*
MOTIVATION POUR ÉTUDIER L'ANGLAIS :
il a des amis anglophones

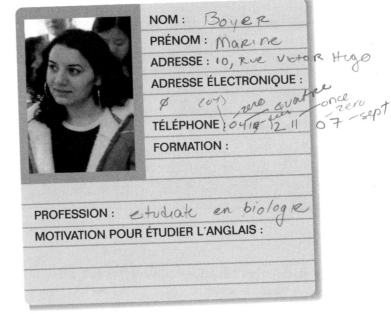

NOM : *Boyer*
PRÉNOM : *Marine*
ADRESSE : *10, Rue Victor Hugo*
ADRESSE ÉLECTRONIQUE :
Ø (04) zero quatre onze zero zero
TÉLÉPHONE : *0418 12 11 07 - sept*
FORMATION :

PROFESSION : *étudiate en biologie*
MOTIVATION POUR ÉTUDIER L'ANGLAIS :

B. À vous maintenant de remplir cette fiche avec vos renseignements personnels.

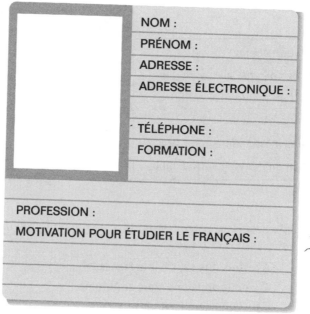

NOM :
PRÉNOM :
ADRESSE :
ADRESSE ÉLECTRONIQUE :
TÉLÉPHONE :
FORMATION :

PROFESSION :
MOTIVATION POUR ÉTUDIER LE FRANÇAIS :

7. Répondez par des phrases complètes en suivant l'exemple.

C'est un livre d'anglais ? (Non / français)

> *Non, ce n'est pas un livre d'anglais. C'est un livre de français.*

1. C'est Pierre ? (Non / Roger)
2. C'est un joueur de football ? (Non / joueur de rugby)
3. Ce sont des vins italiens ? (Non / vins français)
4. C'est de la cuisine française ? (Non / cuisine italienne)
5. Ce sont des étudiants polonais ? (Non / hongrois)
6. C'est le prénom ? (Non / nom)
7. Ce sont des traditions hollandaises ? (Non / suédoises)
8. C'est l'adresse de Frédérique ? (Non / Sabine)
9. Ce sont des photos d'Angleterre ? (Non / des photos de France)

Fi(a/en Mi le/au

8. **A.** Écoutez les phrases de ces deux listes. Si la phrase est une question, mettez un point d'interrogation. Si c'est une affirmation, mettez un point. *(bwah")*

PAYS	PERSONNES
C'est la Mauritanie ?	**h.** C'est le commissaire Maigret ... ?
a. C'est le Québec ...	**i.** C'est Édith Piaf ... •
b. C'est le Maroc ... ?	**j.** C'est Isabelle Adjani ... ?
c. C'est le Viêt-nam ... •	**k.** C'est Serge Gainsbourg ... ?
d. C'est la Côte d'Ivoire ... ?	**l.** C'est Picasso ... •
e. C'est l'Angola ... ?	**m.** C'est Zinedine Zidane ... ?
f. C'est le Tchad ...	**n.** C'est Tintin ... •
g. C'est la Belgique ... •	**o.** C'est Céline Dion ... ?

B. Votre professeur vous aidera à percevoir les différences d'intonation.

9. **A.** Écoutez les expressions et les mots suivants et ~~rayez~~ les lettres finales qui ne se prononcent pas.

tu habit~~es~~

je m'appell~~é~~	tu parl~~es~~	*au* musiqu~~e~~	trop *P*
il aim~~é~~ *au*	vill~~e~~ *le*	*au* tourism~~e~~	habite~~r~~ *r*
sac *NO*	*au* Holland~~e~~	salu~~t~~ *te*	écoute~~z~~ *zed*
tu adore~~s~~ *led*	veni~~r~~ *NO*	gran~~d~~ *de*	avec *NO*
ils arriv~~ent~~ *au*	Franc~~e~~	trè~~s~~ *S*	bal *NO*
elle répèt~~é~~ *au*	belg~~e~~	bonjou~~r~~ *NO*	vif *NO*

B. Que remarquez-vous ? Ces lettres finales se prononcent-elles ou pas ?

♦ Le **e** en position finale :

♦ Les consonnes **d**, **p**, **s**, **t** et **z** en position finale :

♦ Les consonnes **c**, **f** et **l** en position finale :

♦ Le **r** en position finale :

C. À vous maintenant de lire les phrases suivantes.

Elle est très petite.

Elle s'appelle Marine.

Nous sommes espagnoles.

Vous êtes polonaises ?

Pourquoi tu étudies le français ?

Quelle est votre adresse électronique ?

Vous venez de Barcelone ?

J'aime la culture française.

Nous habitons à Paris.

Ils sont italiens.

Vos stratégies pour mieux apprendre

10. **A.** Écrivez devant ces noms qui apparaissent dans le *Livre de l'élève* :

(handwritten note: F : la/en   M : le/au   "un")

un **M** si vous pensez que c'est un mot masculin
un **F** si vous pensez que c'est un mot féminin

le (M) tourisme   la (F) motivation   la (F) distance
l' (F) actrice   l' (F) école   le (M) joueur *(playr. F is joueuse)*
le (M) personnage *(character)*   le (M) travail *(work)*   le (M) sport
l' (F) amie *(am' is M)*   la (F) difficulté   le (m) dessinateur *(F is dessinatreuse)*
                                                    dessin = drawing and is male; dessina as to show

B. Écrivez ensuite l'article devant chaque mot puis le pluriel du mot derrière.

L'amie / Les amies   la motivation / ....   l' école / ....
.... travail / ....   la difficulté / ....   la distance / ....
le joueur / ....   le sport / ....   le dessinateur / ....
l' actrice / ....   le personnage / ....

11. **A.** À présent, observez ces mots. Ils sont nouveaux, vous ne les connaissez pas, mais ce n'est pas grave. À partir de la forme du mot, essayez de dire s'ils sont masculins ou féminins. Puis écrivez l'article qui convient à chaque mot.

la table   l' *masculine* italien   la curiosité   la cassette

la quantité   la boulangère   l' action   le disque

l' acteur   la liberté   le chien   le pharmacien

la télévision   le ordinateur   le facteur *mailman*   l' électricité *(fem)*

le téléphone   le texte   la rédaction   la mère   la docteur

B. Consultez le dictionnaire pour vérifier si vous avez répondu correctement. Maintenant, vous pouvez établir une règle approximative.

Les noms terminés par :	sont généralement **M** (masculins)	sont généralement **F** (féminins)	peuvent être **M** ou **F**
-e			✓
-eur	✓		
-ion		✓	
-té		✓	
-ien	✓		
-ère		✓	

STRATÉGIE

Dans les exercices précédents, vous avez observé des phénomènes de la langue à partir desquels vous avez extrait une règle. Si vous utilisez ce genre de stratégie, vous allez apprendre mieux et plus vite. On apprend toujours mieux ce qu'on apprend par soi-même.

LE DELF A1

De l'Unité 1 à l'Unité 4, nous allons préparer le DELF A1, nouvelle version. C'est un examen simple qui va évaluer vos premières connaissances en français dans des contextes de la **vie quotidienne**.

Il y a quatre épreuves différentes : Compréhension de l'oral (CO), Compréhension des écrits (CE), Production écrite (PE) et Production orale (PO). Chaque épreuve est notée sur 25 points, le DELF A1 complet est ainsi noté sur 100 points.

LE DELF A1. COMPRÉHENSION DE L'ORAL

Dans cette épreuve, vous allez écouter trois ou quatre petits documents sur des sujets de la vie quotidienne (se présenter, présenter ses goûts, identifier un numéro de téléphone, etc.) et vous allez remplir avec des croix ou des chiffres des questionnaires de compréhension générale.

12. Cochez (**X**) la bonne réponse ou écrivez l'information demandée.

A. Vous écoutez deux fois un document (vous avez 30 secondes de pause entre les deux écoutes). Lisez d'abord les questions.

1. **Virginie se présente**. Répondez aux questions.

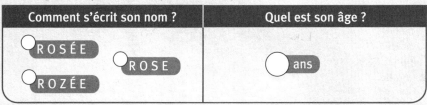

Comment s'écrit son nom ?	Quel est son âge ?
○ ROSÉE ○ ROSE ○ ROZÉE	○ ___ ans

B. Vous écoutez deux fois un document (vous avez 30 secondes de pause entre les deux écoutes). Lisez d'abord les questions.

2. **Sergio se présente.**

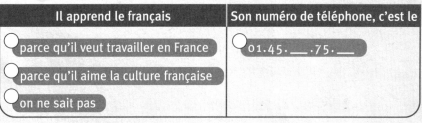

Il apprend le français	Son numéro de téléphone, c'est le
○ parce qu'il veut travailler en France ○ parce qu'il aime la culture française ○ on ne sait pas	○ 01.45.___.75.___

C. Vous écoutez deux fois un document où Franz se présente (vous avez 30 secondes de pause entre les deux écoutes). Lisez d'abord les questions.

3. **Franz se présente.**

Franz aime	Il connaît
○ ○ ○ Le Petit Prince (Antoine de Saint-Exupéry, folio junior) ○	○ la Russie ○ la Suisse ○ la Suède ○ l'Autriche ○ l'Australie

Unité 2
ELLE EST TRÈS SYMPA

1. Entourez l'adjectif possessif qui convient.

1. Thomas et Caroline ont deux enfants. **Son** / **Ses** / (**Leur**) fils s'appelle Kévin et **sa** / **ses** / (**leur**) fille, Stéphanie, je crois.

2. ● (**Ma**) / **Mon** nom ? C'est Kosérasky, Andréa Kosérasky : **ma** / (**mon**) famille est d'origine polonaise.
   ○ Et vous, Mademoiselle ? D'où sont **votre** / (**vos**) parents ?
   ■ (**Mon**) / **Ma** père est breton, mais je m'appelle Stella parce que **mon** / **ma** mère est italienne.

3. ● **Mon** / (**Ma**) frère dit que (**ton**) / **ta** amie Rosy sort avec (**ton**) / **ta** cousin. C'est vrai ?
   ○ Oui, et **sa** / **son** frère sort avec **notre** / (**nos**) amie Claudine !   *⌐bc masculine*

4. ● Dis, Sylvie, c'est qui sur la photo ? (**Ta**) / **Ton** grand-mère ?
   ○ Non, c'est **ma** / (**mon**) arrière-grand-mère et à côté d'elle, c'est (**son**) / **sa** chien, Kidu.
   great grandma

2. Complétez les phrases suivantes avec **du** (=de+le), **de la**, **de l'** ou **des** (=de+les).

1. Ce monsieur ? C'est le professeur de musique *de la* conservatoire.
2. Qui est Rémy ? C'est le fils *du* dentiste. *or de la dentiste if feminine bc dentiste can be either?*
3. Comment s'appelle le chien .... voisins ?
4. Cécile ? C'est une collègue *de l'* agence de voyages.
5. Pierre et Sophie sont *de l'* même famille.
6. Albert, c'est le roi *du* bricolage ! *masculine*
7. Marc, c'est un fan *de la* art contemporain.
8. Jennifer est une professionnelle *de la* télévision.
9. Anne-Marie est une grande amie *des* animaux.
10. C'est une spécialiste *de la* cuisine française.

3. Complétez ce petit dialogue, comme dans l'exemple, avec **ce, c', il, elle, ils, elles**.

Qu'est-ce que c'est, cette photo ? Un mariage ?
| Ce | n'est pas un mariage. | C' | est une réunion familiale pour un anniversaire.

1. ● De qui sont ces enfants ?
   ○ *Ils* sont les enfants du cousin Pierre. *Ils* sont jumeaux.

2. ● Et cette fille ?
   ○ *Ce* est la sœur de Julien. *Elle* est étudiante.

3. ● À côté d'elle, c'est son copain ?
   ○ Non, *ce* n'est pas son copain. *C'* est l'oncle Jacques.

4. ● Et les petits ?
   ○ *Ce* sont les enfants de l'oncle Jacques. *Ils* ne sont pas petits !

5. ● Et derrière, c'est la femme de Jacques ?
   ○ Non, *ce* n'est pas sa femme. *C'* est la nouvelle copine de Julien.

6. ● *C'* est compliqué tout ça !

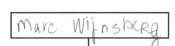

4. Ces descriptions sont incomplètes. Complétez-les avec les mots ci-dessous puis vérifiez vos réponses dans le *Livre de l'élève* (page 19).

veuve ✓   aime ✓   gentille ✓   ans ✓   études ✓   cuisinière ✓

sortir ✓   est   copains

BARBARA PINCHARD
Elle a soixante-neuf ....*ans*........
Elle est ....*veuve*........ (*masc = veuf*)
C' ....*est*........ une dame très *gentille*........
C'est une excellente *cuisinière*........

JEAN-MARC CUVELIER
Il a dix-neuf ans.
Il fait des ....*études*........ de géographie.
Il ....*aime*........ les grosses motos
et ....*sortir*........ avec ses ....*copains*........

5. Consultez les textes de la page 19 du *Livre de l'élève*. Écrivez dans chaque encadré le nom de la personne décrite.

Sonia Guichard (#1)

Marc Wijnsberg

┌─────────────────┐
│   │
└────────┬────────┘
         │
┌─ ─ ─ ─ ─ ─ ─ ─ ─ ─ ─┐
│ Il travaille dans une banque. │
│ Il est né à Berlin. │
│ Il ne fait pas de sport. │
│ C'est un passionné de philatélie. │
└─ ─ ─ ─ ─ ─ ─ ─ ─ ─ ─┘

┌─ ─ ─ ─ ─ ─ ─ ─ ─ ─ ─┐
│ Elle n'étudie pas. │
│ C'est une femme d'âge moyen. │
│ Elle adore les arbres et les fleurs. │
│ Elle déteste le bruit. │
└─ ─ ─ ─ ─ ─ ─ ─ ─ ─ ─┘

┌─ ─ ─ ─ ─ ─ ─ ─ ─ ─ ─┐
│ Il n'est pas marié. │
│ C'est un artiste. │
│ Il ne joue pas d'instrument de musique. │
│ Il est toujours de bonne humeur. │
└─ ─ ─ ─ ─ ─ ─ ─ ─ ─ ─┘

6. **A.** Complétez chacune des phrases avec l'un des verbes suivants et conjuguez-le à la personne correspondante.

être

travailler

être

étudier

jouer

aimer

étudier

1. ● Vous _travaillez_ dans une banque suisse ?
2. ● Tu _es_ de Singapour ?
3. ● Erwan _étudie_ l'anglais avec un professeur irlandais ?
4. ● Vous _êtes_ d'origine espagnole ?
5. ● Ils _étudient_ les Beaux-Arts à l'université ?
6. ● Marion _aime_ faire du ski ?
7. ● Tu _joues_ au football ?

B. Maintenant, écrivez à la forme négative les réponses à toutes les questions précédentes.

nous ne travaillons pas

1. ○ _non, je ne travaille pas_ .
2. ○ _non, je ne suis pas de_ .
3. ○ _non, nous ne sommes pas_ .
4. ○ _non, il n'étudie pas_ .
5. ○ _non, ils n'étudient pas_ .
6. ○ _non, elle n'aime pas faire_ .
7. ○ _non, je ne joue pas_ .

7. Pensez à un homme et à une femme de votre entourage : famille, amis, camarades, collègues... Complétez deux fiches de renseignements sur le modèle de la première.

. Nom : Le Bouquin

. Prénom : Lætitia

. État civil : célibataire

. Âge : 30 ans

. Profession : elle travaille dans une agence de voyages

. Goûts : cinéma, lecture

. Caractère : dynamique et très bavarde

. Lien avec vous : amie

. Nom : _____

. Prénom : _____

. État civil : _____

. Âge : _____

. Profession : _____

. Goûts : _____

. Caractère : _____

. Lien avec vous : _____

. Nom : _____

. Prénom : _____

. État civil : _____

. Âge : _____

. Profession : _____

. Goûts : _____

. Caractère : _____

. Lien avec vous : _____

8. **A.** Nationalité.

Céline Dion	Canadienne
Maria Callas *opera singer*	Espagnole
Franz Kafka	Tcheque
Bono *U2*	Irlandais
Ronaldinho	
Michael Schumacher	Allemand
Ingrid Bergman *actress*	Suedoise
Pedro Almodóvar	Espanol
Gérard Depardieu	Colombian
Björk	Islandais
Nelson Mandela	Sud-Africain
Henrik Ibsen	Norvegien
Eros Ramazzotti	Italien
Jacques Chirac	
Guillaume Tell	Suisse
Luis Figo	
Marie Curie, née Skłodowska	Polonais Francaise ?

tcheque ✓   canadien/ne ✓
irlandais/e ✓
brésilien/ne   *L'irish*   grec/que
suédois/e ✓   français/e   islandais/e
espagnol/e   italien/ne ✓   polonais/e
suisse   allemand/e ✓
sud-africain/e ✓   norvégien/ne ✓
portugais/e

B. Écrivez le nom de deux autres personnages célèbres. De quelle nationalité sont-ils ?

1 ....

2 ....

C. Maintenant, écrivez toutes ces nationalités au féminin pluriel.

....

....

....

....

9. **A.** Lisez ces numéros à voix haute.

33   47   17   18   29

44   24   50   36   62   21   58

 B. Maintenant, écoutez les conversations et marquez les six numéros de la liste que vous entendez.

10. De qui je parle ? En cinq phrases négatives, faites le portrait de deux personnes invitées au mariage d'Irène et Thierry (pages 22 et 23 du **_Livre de l'élève_**). Après, vous lirez un de ces portraits à toute la classe qui devra identifier cette personne.

> Ce n'est pas une amie d'enfance de la mariée.
> Elle ne s'appelle pas Lepont.
> Elle ne parle pas portugais.
> Elle n'est pas mariée.
> Elle ne parle pas beaucoup l'italien.
>
> C'est Pascale Riva !

1. ....
   ....
   ....
   ....
   ....

2. ....
   ....
   ....
   ....
   ....

11. Combinez les chiffres de chaque groupe pour obtenir le résultat final que nous proposons. Vous pouvez utiliser plus (**+**) et moins (**–**). Écrivez les chiffres que vous utilisez pour pouvoir expliquer correctement vos solutions au reste de la classe.

> 6 + 10 - 2 = 14
> six plus dix seize, moins deux font quatorze.

5 ☐ 7 ☐ 10 = 22   56 ☐ 8 ☐ 9 = 57

66 ☐ 3 ☐ 25 = 44   23 ☐ 42 ☐ 19 = 46

12. Imaginez que vous décidez de passer une annonce pour trouver une jeune actrice et un surveillant. Complétez les deux annonces ci-dessous avec les adjectifs de la liste.

sympathique	travailleur	discret
sérieux	paresseux	timide
sociable	aimable	indépendant
espiègle	pédant	pessimiste
intelligent	content	optimiste

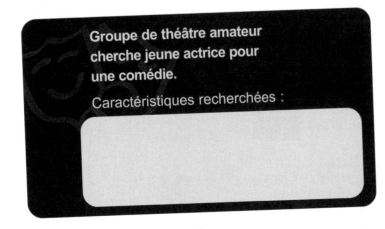

Groupe de théâtre amateur cherche jeune actrice pour une comédie.

Caractéristiques recherchées :

Le Musée des Arts et Métiers cherche **surveillant** bénévole pour les week-ends.

Caractéristiques recherchées :

LES NASALES

En français, il y a trois voyelles nasales principales. Pour commencer à différencier ces sons, écoutez tout d'abord les trois exemples prononcés par votre professeur.

canad**ien**   chans**on**   allem**and**

13. **A.** Puis classez en trois colonnes les mots ci-dessous en fonction de la nasale qu'ils contiennent.

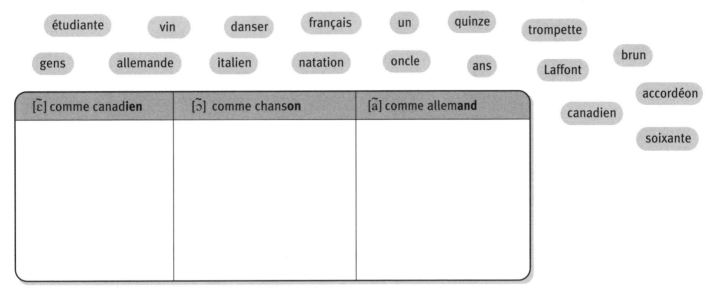

étudiante   vin   danser   français   un   quinze   trompette

gens   allemande   italien   natation   oncle   ans   Laffont   brun   accordéon   canadien   soixante

[ɛ̃] comme canad**ien**	[ɔ̃] comme chans**on**	[ã] comme allem**and**

B. Qu'est-ce que vous observez ? Commentez-le avec votre professeur.

C. À votre tour ! Écoutez une liste de mots et indiquez quelle nasale vous entendez (attention, parfois il n'y a pas de nasales !).

	[ɔ̃]	[ã]	[ɛ̃]	Pas de nasale
nom				
cent				
cinq				
Justin				
Justine				
bien				
bon				
main				
peinture				
vingt				
vin				
pain				
américain				
américaine				
voisin				
voisine				

Remarque : si je sais différencier les nasales des autres sons, je peux plus facilement savoir si le mot est masculin ou féminin. Comme dans :

Il s'appelle Justin et elle, elle s'appelle Justine.

14. Écoutez les phrases suivantes et indiquez dans le tableau ci-dessous s'il s'agit d'hommes, de femmes ou si on ne sait pas.

	Masculin	Féminin	On ne sait pas
1.			
2.			
3.			
4.			
5.			
6.			
7.			
8.			
9.			
10.			
11.			
12.			

15. **A.** Écoutez à nouveau les phrases de l'exercice précédent et soulignez les terminaisons des mots qui vous permettent de distinguer, à l'oral, le masculin et le féminin. Dans les cas où l'on ne sait pas si elles sont au masculin ou au féminin, écrivez les deux versions possibles.

	Masculin	Féminin
1. Ses amies polonai<u>ses</u> arrivent demain.		✔
2. Nos amis/es espagnols/es sont là.		
3.		
4.		
5.		
6.		
7.		
8.		
9.		
10.		
11.		
12.		

B. Voici des phrases au féminin, retrouvez leur forme masculine :

1. Je suis très sérieuse. ————▶ ....
2. Tu es mariée ?————▶ ....
3. Elle est vraiment agréable. ————▶ ....
4. Elle est française ? ————▶ ....
5. Non, elle est espagnole. ————▶ ....
6. Sa grand-mère est veuve. ————▶ ....
7. Elle est sympathique et très ouverte. ————▶ ....
8. C'est une femme sociable mais très bavarde. ——▶ ....
9. Tu es passionnée de voyages ? ————▶ ....
10. Elle est très chaleureuse. ————▶ ....
11. Elle est italienne. ————▶ ....
12. Elle est très chère. ————▶ ....
13. Elle n'est pas très jeune. ————▶ ....
14. Elle est douce. ————▶ ....
15. C'est une belle fille. ————▶ ....

LES MOTS HOMOPHONES

En français, certains mots se prononcent de la même manière (ils sont donc homophones) et souvent, c'est l'orthographe qui permet de les distinguer. C'est le cas de **a** et **à**, de **ou** et **où**, de **et** et **est**.

16. **A.** Lisez les phrases suivantes et trouvez la différence entre **a** et **à**, **ou** et **où**, **et** et **est**.

a. François **a** une adresse électronique. Il habite **à** Paris.
b. Qui c'est ? Théo **ou** Lucas ?
c. Tu sais **où** il habite ?
d. Romain **et** Frank habitent à Marseille.
e. Nathalie **est** suisse.

B. Que remarquez-vous ? Commentez-le avec votre professeur.

C. Entourez la forme correcte dans les phrases suivantes :

a. Marc **a** / **à** 25 ans. Il **et** / **est** suisse, il vient de Genève.
b. ● Tu sais **ou** / **où** habite Virginie ?
   ○ Oui c'est facile, rue Saint-Jacques **a** / **à** Paris.
c. Tu aimes la littérature **est** / **et** le tourisme. Mais tu préfères le cinéma **où** / **ou** la musique ?
d. ● Je crois que c' **et** / **est** l'Allemagne ?
   ○ Non c' **et** / **est** le Luxembourg.
e. Édith Piaf **et** / **est** une chanteuse, née **à** / **a** Paris en 1915.
f. Zinedine Zidane **est** / **et** un joueur de football.
g. ● Elle **à** / **a** une adresse électronique ?
   ○ Oui, c' **est** / **et** chloe.blanco@rondpoint.fr

Vos stratégies pour mieux apprendre

17. Complétez ce dessin avec des mots que vous avez appris dans cette unité.

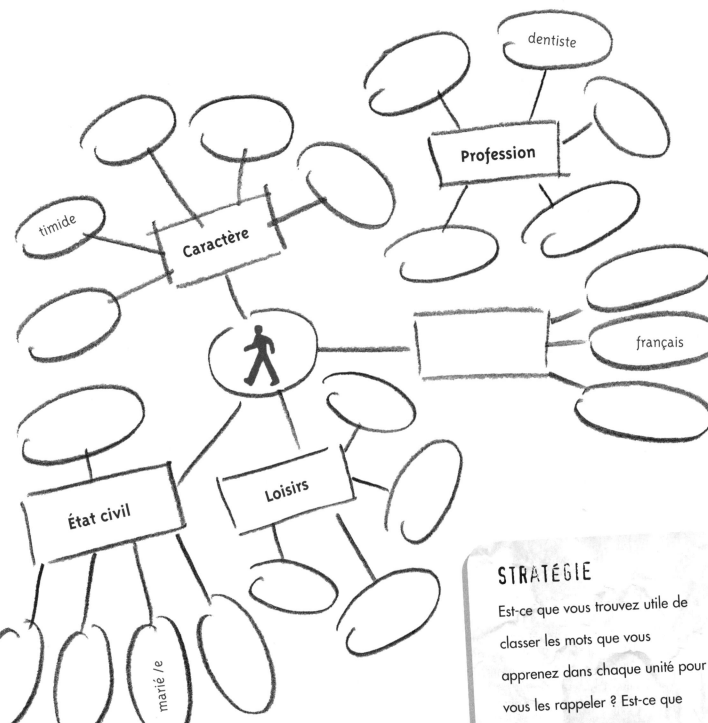

STRATÉGIE

Est-ce que vous trouvez utile de classer les mots que vous apprenez dans chaque unité pour vous les rappeler ? Est-ce que vous l'avez déjà fait avant ? Après chaque unité, vous pouvez faire un schéma comme celui-ci avec les nouveaux mots appris.

LE DELF A1. COMPRÉHENSION DES ÉCRITS

Dans cette épreuve, vous allez lire trois ou quatre documents très courts sur des sujets de la vie quotidienne (des petites annonces, un courriel, des horaires, etc.) et vous allez remplir des questionnaires de compréhension générale.

18. Vous venez de recevoir cette invitation. Répondez aux questions suivantes.

> Le 4 juin 2006
>
> Salut Youna,
>
> Un an déjà !
> Alex et moi t'invitons au dîner qu'on organise samedi 11 juin pour fêter notre première année ensemble.
> Ton petit copain est le bienvenu, bien sûr !
> N'apporte rien à manger ou à boire, on s'occupe de ça. Mais si tu veux apporter tes CD pour danser après le repas…
> Tu connais l'adresse, n'est-ce pas ? 23, rue Toulouse-Lautrec. Appt. 2A.
>
> Tu peux me confirmer ta présence avant le week-end prochain ? Merci.
>
> Bises
>
> Virginie et Alex

a. Qui a écrit ce document ? ....

b. C'est

☐ un message commercial.
☐ un message amical.
☐ un message publicitaire.

c. Quel est l'objet de ce message ?

☐ une invitation pour un mariage
☐ une invitation pour un repas
☐ une invitation pour un baptême

d. Que doit apporter Youna ?

☐    ☐    ☐

e. Où habitent Virginie et Alex ?

☐ à Paris
☐ à Toulouse
☐ on ne sait pas

LE DELF A1. PRODUCTION ÉCRITE

Dans cette épreuve, vous allez remplir une fiche et écrire un petit texte (carte postale, message, etc.) avec des phrases simples sur des sujets de la vie quotidienne. Après la rédaction, n'oubliez pas de prendre un peu de temps pour la **relecture** et pour la **vérification de l'orthographe**. Mais, le plus important, c'est votre capacité à répondre au sujet et votre connaissance lexicale.

19. Observez ces deux modèles. À gauche, un message amical (ici, une carte postale) ; à droite, un message commercial. Maintenant, répondez au petit questionnaire ci-dessous.

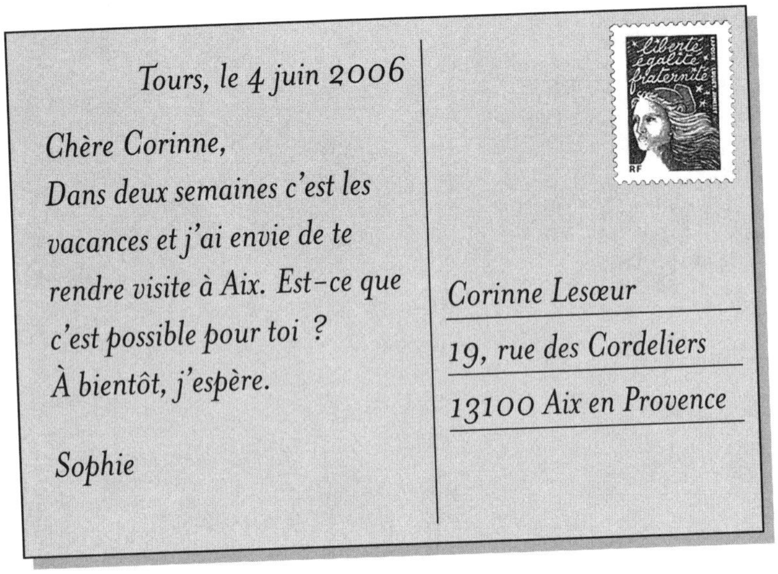

> *Tours, le 4 juin 2006*
>
> *Chère Corinne,*
> *Dans deux semaines c'est les vacances et j'ai envie de te rendre visite à Aix. Est-ce que c'est possible pour toi ?*
> *À bientôt, j'espère.*
>
> *Sophie*
>
> *Corinne Lesœur*
> *19, rue des Cordeliers*
> *13100 Aix en Provence*

> Limoges, le 25 septembre 2006
>
> Monsieur,
>
> Suite à votre courrier du 23 septembre dernier, je vous envoie le catalogue de nos produits.
>
> Très cordialement,
>
> Maryse Le Goff
> *Service Clientèle*

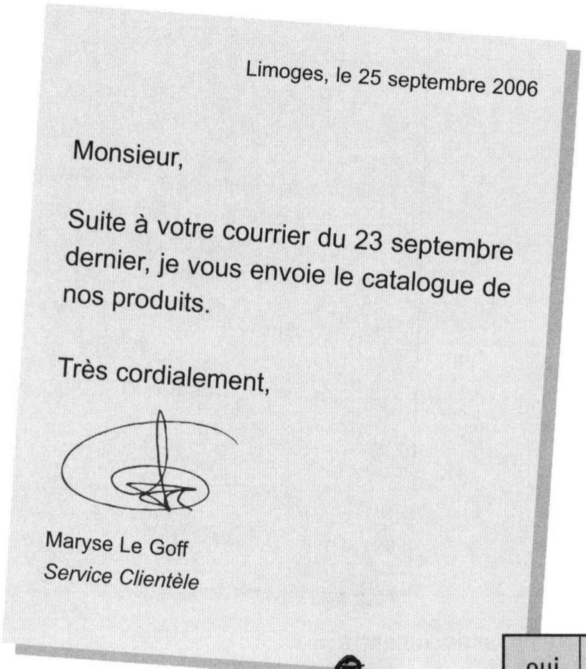

Pour écrire un message amical,

	oui	non
j'indique obligatoirement le lieu et la date.		
je vouvoie le destinataire.		
si je m'adresse à deux personnes ou plus, j'utilise **vous**.		
si je m'adresse à une seule personne, je dois la tutoyer.		
j'utilise des formules comme **Cher Bruno** / **Chère Julie** / **Salut**.		
j'utilise des formules comme **Cher Monsieur** / **Chère Madame**.		
j'écris **Très cordialement** à la fin du message.		
j'écris **Je vous prie d'agréer mes meilleures salutations** à la fin du message.		
j'écris **À bientôt** / **Tchao**.		
je peux écrire **Je t'embrasse** / **Je vous embrasse**.		
je signe avec mon nom et éventuellement ma fonction. **P. Lemercier, Responsable Service clientèle**		
je signe avec mon prénom (**Christophe**) ou un surnom (**Tof**).		

20. À votre tour, écrivez un court message (40 à 50 mots, environ 5 lignes) à partir de l'énoncé suivant : « Vous organisez une fête pour votre anniversaire. Vous invitez un/e ami/e. Vous précisez la date et le lieu de la fête et s'il/elle doit apporter quelque chose. Vous lui demandez de confirmer sa présence. »

1. **A.** Voici deux offres de voyages. Quel voyage peut intéresser chacune des cinq personnes ci-dessous ? Pour le savoir, lisez ces deux annonces et écoutez les dialogues en notant dans la case le chiffre qui correspond aux vacances idéales pour chacune d'elles.

OFFRES DE VOYAGES SOLEIL LEVANT

GRANDES CAPITALES EUROPÉENNES

Londres, Berlin et Rome
15 jours

A/R en avion depuis Paris et Lyon
Déplacements en autocar et en train
Hôtels de 3 et 4 étoiles
Guides spécialisés

1

VENEZ À LA MONTAGNE !

*Une semaine en pleine nature
Auberges de montagne et campings
Randonnées en vélo
Tarifs spéciaux pour les familles*

2

Éric   Julie

Gérard

Anne-Marie

Justine

B. À partir de vos réponses, écrivez une petite phrase qui justifie votre choix pour chacune des personnes.

1. Je crois qu'Anne-Marie préfère le voyage à la montagne parce que...

2. ....

3. ....

4. ....

5. ....

2. **A.** Et eux, comment est-ce qu'ils aiment voyager ? Observez les images et écrivez un texte court .

Mauro et Marco ....
....
....

Anne et Frank..
....
....

Richard..
....
....

Daniel, David et Sarah ....
....
....

B. Et vous ?

....
....
....
....
....

3. Décrivez vos goûts en fonction des thèmes ci-dessous. Utilisez **j'aime beaucoup, j'aime bien, je n'aime pas beaucoup, je n'aime pas du tout**, etc.

travailler

voyager en moto

les restaurants chinois

lire de la poésie

le jazz

les discothèques

la politique

les plages désertes

le cinéma américain

apprendre des langues

Bach et Vivaldi

jouer au rugby

l'histoire

la télévision

++ j'aime beaucoup	+ j'aime bien	– je n'aime pas beaucoup	– – je n'aime pas du tout
....	....	....	....
....	....	....	....
....	....	....	....
....	....	....	....
....	....	....	....

4. **A.** Retrouvez le verbe qui correspond à chaque phrase. N'oubliez pas de conjuguer les verbes !

Romain	de la flûte.	avoir envie
Julien	des vacances en août.	aimer
Claire	la danse.	jouer
Brice	du football.	faire
Aurélien	de faire du vélo.	avoir
Gaëlle	de la guitare.	préférer
Océane	les vacances à la plage.	jouer
Catherine	le chocolat.	pratiquer

B. Vous avez les mêmes goûts que vos parents et que vos frères et sœurs ?

Mon père et moi, nous	aimons la pêche.	avoir envie
Ma mère et moi, nous		aimer
Mes frères et moi, nous		jouer
Mes soeurs et moi, nous		faire
Mes parents		avoir
Tous le monde dans ma famille		préférer
Dans ma famille, personne ne/n'		pratiquer

5. **A.** Un/e ami/e vient passer quelques jours chez vous. Faites une liste de cinq lieux à visiter dans votre ville et de cinq commerces présents dans votre quartier (aidez-vous du dictionnaire).

5 LIEUX DE VOTRE VILLE

Dans ma ville, il y a...

un stade de football

....

....

....

....

5 COMMERCES DE VOTRE QUARTIER

Dans mon quartier, il y a ...

....

....

....

....

....

B. Maintenant, vous pouvez être plus précis/e. Écrivez cinq phrases en utilisant les prépositions nécessaires.

sur

dans

près de

à ... Km de

Le stade de football est près du parc, dans...

6. Observez bien ces formes pour exprimer l'accord et le désaccord. Comment est-ce que vous pouvez les employer ?

moi aussi

moi non plus

moi non

moi si

 Je veux connaître l'Auvergne.

 Moi aussi.

 Moi non

 J'adore le théâtre.

 moi aussi

 moi non

 Je n'ai pas de vacances en août.

 moi aussi

 moi non

 Je n'aime pas du tout le golf.

 moi non plus

 moi si

7. Vous recevez une carte postale d'un ami. Ajoutez les mots qui manquent : **on** (4 fois), **en** (3 fois), **faire** (2 fois et à conjuguer !), **une** (2 fois), **il y a** (1 fois), **de** (1 fois) et **des** (1 fois).

> Dakar, le 25 juin 2003
>
> Salut Bruno,
>
> _on_ est à Dakar. On est venu _en_ avion, c'est un peu long ! _il y a_ du soleil et _on_ va à la plage tous les jours. On _fait_ des promenades _en_ 4x4 tous les après-midis pour visiter la région. Il n'y a pas _de_ touristes mais on ___ beaucoup d'activités en groupe. Demain, on part _en_ autocar pour voir le désert. _fait_
>
> À l'hôtel, on a _une_ chambre fantastique, il y a ___ piscine immense et ___ boutiques géniales : ___ peut acheter tout ce qu' ___ veut.
>
> Bisous,
>
> Thomas

8. Cherchez dans ces mots mêlés les mois de l'année : en vertical, en horizontal. De droite à gauche et de gauche à droite.

J	V	E	I	J	U	I	L	L	E	T	O
A	R	S	E	P	A	U	N	L	O	M	O
N	I	E	M	A	R	S	T	J	I	L	C
V	E	P	M	A	R	T	I	A	O	U	T
I	R	T	J	U	I	L	L	V	R	I	O
E	B	E	U	R	T	C	D	R	O	Q	B
R	M	M	I	A	B	N	S	I	O	I	R
T	E	B	N	O	M	A	R	L	V	R	E
U	V	R	A	N	A	R	B	M	T	I	L
L	O	E	R	E	I	R	V	E	F	L	M
M	N	O	U	E	R	B	M	E	C	E	D

9. Complétez à l'aide des jours de la semaine.

10. Dites votre date de naissance, la saison qui correspond et votre signe astrologique.

Bélier (21/03-20/04); Taureau (21/04-20/05); Gémeaux (21/05-21/06); Cancer (22/06-22/07); Lion (23/07-22/08); Vierge (23/08-21/09); Balance (22/09-22/10); Scorpion (23/10-21/11); Sagittaire (22/11-20/12); Capricorne (21/12-19/01); Verseau (20/01-18/02); Poisson (19/02-20/03).

> Moi, je suis née le 15 juillet 1983, je suis née en été et je suis cancer. Et toi ?

11. Complétez ce dessin avec des mots que vous avez appris dans ces trois premières unités.

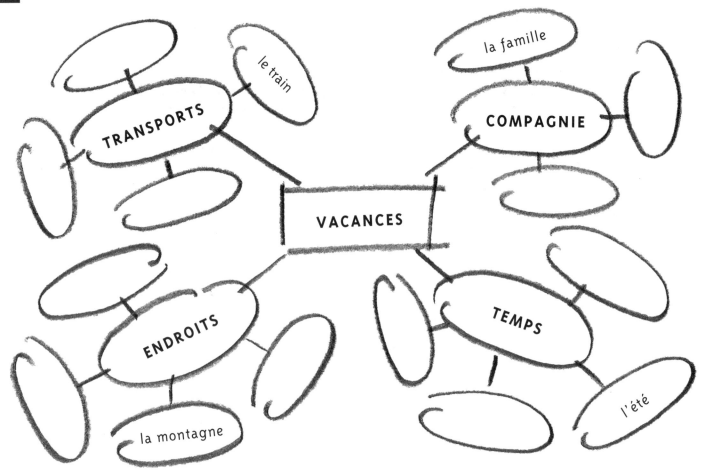

12. Faites une liste avec cinq noms de la géographie mondiale et donnez-la à votre professeur. Il/elle va ramasser toutes les listes et les redistribuer aux élèves de la classe. Vous savez ce que représentent les noms de la liste ? Vous pouvez les chercher dans une encyclopédie ou par Internet. Est-ce qu'ils ont un nom différent en français ?

Córdoba. C'est une ville d'Espagne. En français on dit Cordoue.

	LIEU	DESCRIPTION
1		
2		
3		
4		
5		

13. A. Qu'est-ce que vous entendez ? Écoutez et complétez le tableau ci-dessous.

	J'entends		Qu'est-ce que c'est ?	
	[ə]	[e]	Singulier	Pluriel
A	le film	les films ✓		
B	le livre	les livres		
C	le sport	les sports		
D	ce garçon	ces garçons		
E	ce programme	ces programmes		

B. Que remarquez-vous ? Quel est ici le rapport entre les sons et le nombre ?

14. A. Écoutez et lisez les phrases suivantes. Relevez les mots avec le son [ə].

1. J'adore les plages ensoleillées pour bronzer et me baigner.
2. Je déteste les musées.
3. Regardez les photos, écoutez les dialogues et complétez le tableau.
4. Il voyage dans le monde entier.

B. Réécoutez ces phrases et relevez les mots avec le son **[e]**.

C. Quelles sont les lettres ou groupes de lettres qui se prononcent **[e]**.

Remarque : pays se prononce [pei]. **ai** peut se prononcer **[e]** ou **[ɛ]** en fonction des mots et des aires linguistiques.

D. À vous maintenant ! Relevez dans l'unité 3, quatre mots qui contiennent au moins une de ces graphies.

é	ez	ai	-er (fin de mot)

15. **A.** Observez attentivement Martine et Jean-Louis. Comment est-ce que vous imaginez leurs vacances ? Écrivez leurs initiales (**M** ou **JL**) à côté des activités avec lesquelles vous les associez.

STRATÉGIE

Vous venez de le constater, le contexte et ce que vous savez sur les gens et sur le monde vous permettent de faire des hypothèses sur ce que vous allez entendre. Ces hypothèses vous seront utiles pour comprendre ce que vous entendez ou ce que vous lisez, aussi bien en classe qu'en dehors.

 B. Écoutez ce que Martine et Jean-Louis racontent sur leurs vacances. Est-ce que vos hypothèses étaient correctes ?

LE DELF A1. PRODUCTION ORALE

Dans cette dernière partie de l'épreuve, vous allez répondre à des questions très simples que l'examinateur va vous poser (**entretien dirigé**), puis vous allez à votre tour lui poser le même type de questions (**échange d'informations**). Finalement, vous allez interpréter une petite scène (**dialogue simulé**).

Entretien dirigé

Dans cet exercice, l'examinateur vous pose lentement des questions et vous lui répondez. Ne vous inquiétez pas, ce sont des questions simples pour vous présenter, parler de votre famille et des choses que vous aimez. Cet entretien dure environ une minute.

Échange d'informations

L'examinateur vous propose une série de cartes. Sur chaque carte, il y a un mot. Vous devez poser des questions à l'examinateur à partir de ces mots. Cet échange dure environ deux minutes.

Dialogue simulé

Vous allez interpréter une scène pour obtenir des biens et des services. L'examinateur va vous donner la réplique. Ce dialogue dure environ deux minutes. Dans le DELF A2, l'exercice est le même, mais il comprend des éléments simples de négociation (exercice en interaction).

16. **A.** Voici une révision rapide des questions habituelles. Vous avez une minute pour retrouver les questions correspondant aux phrases suivantes :

a) .... ? Je suis célibataire.
b) .... ? Je m'appelle Éric, Éric Jégot.
c) .... ? J'ai 18 ans.
d) .... ? Non, je déteste la montagne.
e) .... ? Parce qu'il fait froid.
f) .... ? Belge.
g) .... ? Au Québec.
h) .... ? Non, je n'ai pas d'enfants.
i) .... ? Oui, le rap et la techno.

B. Pour poser ces questions, vous utilisez **vous** ou **tu** ?

vous ☐   tu ☐

17. Pour vous entraîner à l'entretien et à l'échange, posez des questions à votre camarade à partir des mots suivants :

nom

musique

nationalité

situation familiale

mer

enfants

musées

parc thématique

voyages

profession

Quelques conseils pour l'examen

♦ Adressez-vous toujours en français à l'examinateur.
♦ Utilisez des formules simples mais appréciées :

  Bonjour !
  Merci.
  Est-ce que vous pouvez répéter la question, s' il vous plaît ?
  Au revoir !

♦ Si vous ne comprenez pas, l'examinateur doit reformuler la question.
♦ Parlez clairement et sans précipitation. On ne vous demande pas d'avoir une prononciation parfaite mais compréhensible pour l'examinateur.

LE DELF A1. COMPRÉHENSION DE L'ORAL

18. Vous allez entendre plusieurs petites présentations (**a, b, c, d**). Réécoutez ces présentations et indiquez à quelle image correspond chacune d'elles. Attention, il y a 5 images, mais seulement quatre présentations.

LE DELF A1. PRODUCTION ÉCRITE

19. Consultez les conseils des pages 22 et 85 (lettre amicale). Écrivez une carte postale à un ami (40/50 mots maximum). Voici à droite votre voyage et vos impressions.

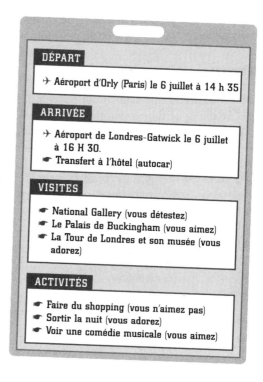

DÉPART

✈ Aéroport d'Orly (Paris) le 6 juillet à 14 h 35

ARRIVÉE

✈ Aéroport de Londres-Gatwick le 6 juillet à 16 H 30.
☛ Transfert à l'hôtel (autocar)

VISITES

☛ National Gallery (vous détestez)
☛ Le Palais de Buckingham (vous aimez)
☛ La Tour de Londres et son musée (vous adorez)

ACTIVITÉS

☛ Faire du shopping (vous n'aimez pas)
☛ Sortir la nuit (vous adorez)
☛ Voir une comédie musicale (vous aimez)

LE DELF A1. COMPRÉHENSION DES ÉCRITS

20. Vous venez de recevoir ce courriel. Lisez-le et répondez aux questions.

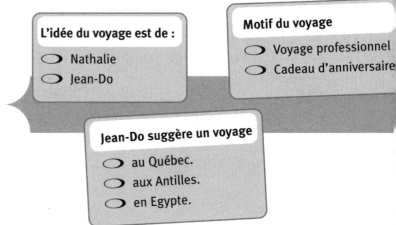

L'idée du voyage est de :

○ Nathalie
○ Jean-Do

Motif du voyage

○ Voyage professionnel
○ Cadeau d'anniversaire

Jean-Do suggère un voyage

○ au Québec.
○ aux Antilles.
○ en Egypte.

Auto-évaluation

1. **A.** Remplissez la fiche de présentation suivante en vous aidant de ce que vous avez étudié dans les unités 1, 2 et 3.

................., je .... Ivan Dutronc. Je .... français, je suis de Mulhouse et j'............ 21 ans, je suis né le 20 janvier 1986. Je .... étudiant en informatique, je suis en 2ème année et j' .... à Strasbourg. J' .... faire du sport, mais pas le regarder à la télévision, j'adore .... football et .... natation, ... mon sport préféré, je le pratique deux fois par semaine. J'étudie .... anglais .... mes études. La majorité des livres que je lis sont en anglais et j' .... le groupe Queen, c'est un groupe génial. J'aime beaucoup la musique et j'écoute la radio et les CD que j'ai à la maison.

B. Dans votre cahier, modifiez maintenant ce texte en le commençant par :

> Lui, il ...

 Évaluez comment vous utilisez les notions suivantes. Révisez ensuite les aspects qui vous posent des difficultés.

JE SAIS UTILISER :	PEU	ASSEZ BIEN	BIEN	TRÈS BIEN
les articles définis : **le, la, l'** et **les**				
les pronoms sujets : **je, tu, il,** ...				
les pronoms toniques : **moi, toi, lui,** ...				
c'est / ce sont				
parce que et **pour**				
le présent d'**être**				
le présent d'**avoir**				
le présent de **s'appeler**				
le présent d' **habiter**				
le présent d'**aimer**				

2. **A.** Vous savez aussi présenter votre famille. Voici la description de la famille de Clarisse. Complétez les phrases en utilisant les mots suivants (ils sont dans le désordre !).

> ■ **c'est / ce sont / il est / elle est / ils sont / elles sont**
> ■ la négation **ne ... pas**
> ■ les adjectifs possessifs (**mon, ma,** etc.)
> ■ pronoms toniques (**moi, toi, lui,** etc.)
> ■ **bavard, belle, pharmacienne, étudiante, architecte, suisse, française**

Clarisse nous parle de sa famille : « Ça, ... une photo de .... famille, la famille Dupuis. .... une photo de vacances chez .... parents, dans .... maison de campagne. Au milieu, vous pouvez donc voir .... père. Il s'appelle Bernard, il est .... Il est ...., de Lausanne ; à côté de ...., c'est .... mère, elle s'appelle Magali, elle est .... Elle adore donner des conseils sur les médicaments. Elle est ...., de Nancy. À sa droite, ... ma tante, elle est très .... C'est une passionnée de photos mais elle n'aime pas dire .... âge. Elle est mariée avec .... oncle Thierry, il est très .... , il parle tout le temps. Il .... travaille .... , il est déjà à la retraite. Il y a aussi .... oncle Christian et .... femme Laetitia avec .... enfants Lionel, ... cousin préféré et Marion, ... cousine. .... , ... Clarisse et j'ai 18 ans et je suis .... en médecine à Paris. Je .... aime .... beaucoup passer............... vacances en famille. »

B. Dans votre cahier, modifiez maintenant ce texte en imaginant que **je** devient **elle**.

Ça, c'est une photo de sa famille...

C. À partir de cet arbre généalogique, imaginez que vous êtes Chloé et que vous présentez votre famille.

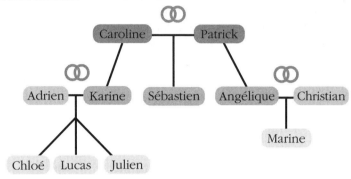

D. Quelle est la relation familiale entre...

➤ Lucas et Marine : ....
➤ Lucas et Julien : ....
➤ Angélique et Chloé : .... et ....
➤ Marine et Patrick : .... et ....
➤ Caroline et Julien : .... et ....
➤ Christian et Sébastien : ....
➤ Karine et Angélique : ....
➤ Sébastien et Marine : .... et ....
➤ Adrien et Caroline : .... et ....

 Évaluez comment vous utilisez les notions suivantes. Révisez ensuite les aspects qui vous posent des difficultés.

JE SAIS UTILISER :	PEU	ASSEZ BIEN	BIEN	TRÈS BIEN
les adjectifs qualificatifs au féminin et au masculin (**bavard, belle,** etc.)				
les adjectifs de nationalité (**suisse, française,** etc.)				
c'est / il est				
la négation **ne ... pas**				
les adjectifs possessifs (**mon, ton, son,** etc.)				
les liens de parenté (**père, mère, cousin, cousine,** etc.)				

3. **A.** Vous savez aussi expliquer vos goûts et parler du lieu où vous passez vos vacances. Complétez la carte postale suivante à l'aide des verbes **faire**, **avoir envie de** et **préférer**, de **il y a / il n'y a pas de**, du pronom indéfini **on**, des articles partitifs, de **(moi) aussi** **(moi) non, (moi) non plus**.

> Chère Sophie,
>
> Ibiza, le 25 juillet ...
>
> Je _____ du ski nautique tous les matins, la mer est très chaude et avec Frédéric, _____ sort tous les soirs, les discothèques sont géniales ici et les gens sont sympathiques. Ici _____ fantastique, _____ du soleil tous les jours et il _____ très beau, il n'y a pas de nuages. Tu sais que Frédéric n'aime pas faire du shopping. _____ , je n'aime pas ça. Alors à la place, on _____ visiter l'île, il y a beaucoup d'endroits magnifiques à découvrir, et profiter de la gastronomie locale : __ mange _____ poisson et _____ gâteaux excellents qui s'appellent « ensaïmadas ». J'espère ne pas grossir, sinon je fais un régime de retour à Lille ! Demain, j' ___ _____ passer la journée à la plage pour bronzer, le sable est blanc et l'eau est d'un bleu indescriptible.
>
> Bisous,
>
> Laetitia

B. Maintenant, dans votre cahier, modifiez ce texte en imaginant que Laetitia et Frédéric écrivent cette carte postale ensemble.

 Évaluez comment vous utilisez les notions suivantes. Révisez ensuite les aspects qui vous posent des difficultés.

JE SAIS UTILISER :	PEU	ASSEZ BIEN	BIEN	TRÈS BIEN
les articles indéfinis (**un, une, des**)				
il y a / il n'y a pas de				
le pronom indéfini **on**				
Le présent de **faire** et **préférer**				
les articles partitifs (**du, de la, des**)				
le lexique des moyens de transport (**en train, en avion...**)				
le lexique des loisirs (**le ski nautique, le shopping...**)				
le lexique des mois et des saisons (**janvier, février, hiver, été, ...**)				
avoir envie de				
(moi) aussi, (moi) non, (moi) non plus				

BILAN AUTO-ÉVALUATION

JE SAIS :	PEU	ASSEZ BIEN	BIEN	TRÈS BIEN
épeler				
présenter et identifier une personne ou un pays				
demander et donner des informations				
expliquer mes motivations pour apprendre le français				
demander et donner des informations sur des personnes				
exprimer mes opinions sur les autres				
expliquer mes goûts et mes préférences				
parler des lieux où je passe mes vacances				

Unité 4
LEVEZ UNE JAMBE !

1. Observez la liste suivante. Quelles sont les habitudes que, selon vous, correspondent à cet homme ? Écrivez un petit texte explicatif. N'oubliez pas de conjuguer les verbes !

manger trop
manger très peu
travailler trop
dormir peu
faire beaucoup de sport
prendre trop de café
fumer trop
ne pas fumer
boire trop d'alcool
manger beaucoup de fruits
ne pas prendre de sucre
rester longtemps assis
faire du yoga
manger beaucoup de sucreries
marcher régulièrement
faire du vélo

....
....
....
....
....
....
....
....

2. Nous sommes tous différents. Complétez les phrases avec les verbes qui correspondent.

1. Moi, je ne fume pas, mais mes frères .... beaucoup.

2. Mon père ne .... pas de poisson, mais ma mère et moi en .... trois fois par semaine.

3. Chez moi, personne ne .... d'alcool.

4. Ma mère me dit toujours : « Tu .... trop de sucreries », mais parfois elle en .... aussi.

5. Papa .... 35 heures par semaine.

6. Mes frères et moi, nous .... du vélo le week-end.

7. Ma mère .... du yoga et mon père .... au tennis. Ils .... beaucoup de sport, mes parents.

3. Est-ce que vous vous rappelez toutes les parties du corps ? Vous pouvez regarder les textes des pages 38 et 39 du *Livre de l'élève*.

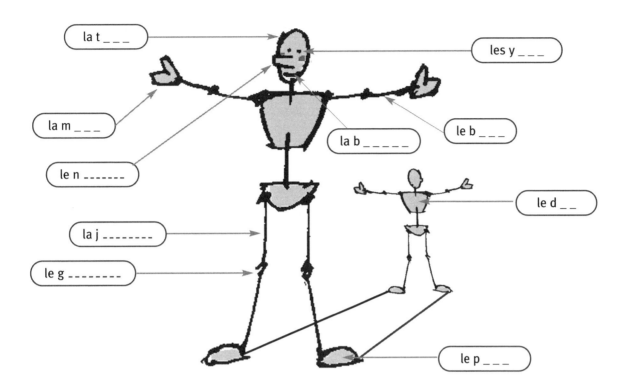

la t _ _ _

les y _ _ _

la m _ _ _

le b _ _ _

la b _ _ _ _ _ _

le n _ _ _ _ _ _

le d _ _

la j _ _ _ _ _ _ _ _

le g _ _ _ _ _ _ _ _

le p _ _ _

4. Voici quelques images de la vie quotidienne d'Eric, un jeune homme de 19 ans. Imaginez quelles activités il fait chaque jour (dites au moins 8 activités) et écrivez un petit texte.

....
....
....
....
....
....
....
....
....
....
....
....
....
....
....
....

5. Associez chaque activité de cette liste à des personnes de la classe ou de votre famille et conjuguez le verbe.

    a. voyager souvent en avion :   `Ma mère voyage souvent en avion.`

    b. ne manger jamais de viande : ....

    c. jouer au football de temps en temps : ....

    d. parler deux langues ou plus : ....

    e. faire du cyclisme tous les week-ends : ....

    f. lire tous les soirs avant de dormir : ....

    g. aller plusieurs fois au cinéma dans la semaine : ....

    h. se doucher toujours avant de se coucher : ....

6. Mettez les phrases suivantes à la forme négative. Faites attention aux partitifs.

    a. Elle fait du sport tous les jours.   `Elle ne fait jamais de sport.`

    b. Cours !   .... !

    c. Chloé mange souvent du poisson.   .... jamais ....

    d. Mange devant la télévision !   .... !

    e. Fais du sport !   .... !

    f. Mange des graisses !   .... !

    g. Venez !   .... !

    h. Prends du café !   .... jamais .... !

7. Expliquez ce que vous faites avant de sortir de la maison le matin. Utilisez les verbes suivants : **se réveiller, éteindre le radio-réveil, se lever, se doucher, se peigner, se laver les dents, prendre son petit-déjeuner** et **s'habiller.**

    ....

    ....

    ....

    ....

    ....

8. **A.** Sandrine, Antoine et Laurent partagent un appartement et doivent décider qui prend sa douche le premier demain matin. Lisez d'abord le dialogue suivant et complétez les phrases avec les mots qui manquent : **oui, si, non, aussi.**

ANTOINE :   Sandrine, comment on fait demain matin ? Tu ne te lèves pas avant 8 heures, n'est-ce pas ?

SANDRINE :   Mais .... ! Je dois me lever à 7 h 30 pour être au travail à 9 heures pile.

LAURENT :   Ah bon ? Moi ...., je dois me lever à 7 h 30. Et toi Antoine, est-ce que tu as cours à l'université demain matin ?

ANTOINE :   ...., à 9 heures.

SANDRINE :   C'est pas vrai ! Et j'imagine que tu te lèves .... à 7 h 30 ?

ANTOINE :   ...., bien sûr ! Et à cette heure-là, je dois prendre une douche, sinon je n'arrive pas à me réveiller. Vous ne vous douchez pas le soir, vous ?

SANDRINE :   ...., toujours le matin.

LAURENT :   Moi, ..., parfois. Avant de me coucher.

 B. Maintenant écoutez et vérifiez avec l'enregistrement si vos réponses sont correctes.

9. **A.** Identifiez les parties du corps représentées par les dessins suivants. Puis associez les activités de **a** à **g** avec les parties du corps pour lesquelles ces sports sont positifs.

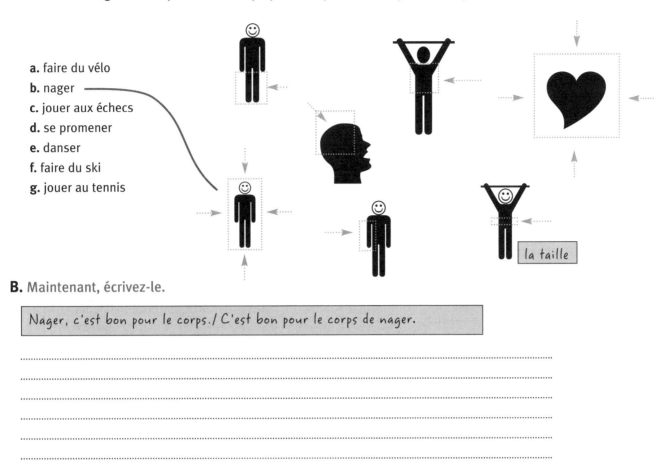

a. faire du vélo
b. nager
c. jouer aux échecs
d. se promener
e. danser
f. faire du ski
g. jouer au tennis

la taille

B. Maintenant, écrivez-le.

> Nager, c'est bon pour le corps. / C'est bon pour le corps de nager.

....
....
....
....
....
....
....

10. Complétez ces idées avec un élément de l'encadré et terminez les phrases avec votre propre avis.

il est important de...

vous devez...   il est nécessaire de...

il faut...

> Si vous voulez apprendre le français, vous devez aller au cours de français.

a. Si vous voulez bien manger, ...
b. Pour avoir de bons amis, ...
c. Si vous voulez gagner beaucoup d'argent, ...
d. Pour obtenir un bon emploi, ...
e. Pour être heureux, ...
f. Pour ne pas avoir de problèmes avec ses parents, ...
g. Pour réussir aux examens, ...
h. Pour être en pleine forme, ...
i. Si vous voulez contrôler votre poids, ...
j. Pour passer de bonnes vacances, ...

11. Imaginez que vous êtes le ou la responsable de la section « Courriel » d'un magazine. Donnez un conseil à chacun de vos lecteurs en utilisant le mode impératif.

Ces derniers temps, je me trouve très gros.

> *Essayez de manger moins de graisses.*

a. Je suis terriblement stressé, je ne dors pas bien.
b. J'ai besoin d'un ordinateur, mais je n'ai pas d'argent pour en acheter un.
c. Ma belle-mère est veuve et elle vit chez nous. Je n'ai pas de vie privée !
d. Je veux apprendre le français, mais, pour l'instant, je ne peux pas aller en France.
e. Je passe toute la journée assise et j'ai très mal au dos.
f. Je veux arrêter de fumer, mais je ne sais pas comment.

12. Lisez les descriptifs de David et Paula et, ensuite complétez avec : **peu (de)**, **assez (de)**, **beaucoup (de)**, **trop (de)**, **pas assez (de)**.

a. Il travaille .... heures par jour.
b. Il n'a .... temps libre.
c. Il connaît .... gens importants.
d. Il voyage .... à l'étranger.
e. Il a une maison .... grande pour lui.
f. Il ne dort pas ....
g. Il a .... amis.
h. Elle fait .... sport.
i. Elle ne mange ....
j. Elle a .... amis et de copains.

DAVID

Il passe toute sa journée au travail, il n'a donc pas de temps pour ses hobbies. Mais grâce à sa profession, il rencontre très souvent des acteurs et des chanteurs dans des festivals internationaux. Comme il voyage toute la semaine, il n'a pas le temps de surveiller son alimentation. Le week-end, il n'aime pas rentrer dans sa grande maison près de Lyon (500 m² !), où il habite tout seul et il sort avec son seul ami, Pierre. C'est un homme stressé et ses nuits sont courtes.

PAULA

Elle va au club de sports avec deux amies tous les matins avant son travail et après le travail, elle fait du footing trois fois par semaine avec Pierre, son copain. Le matin, elle prend un thé et des fruits. Le midi, elle mange un petit sandwich et le soir, elle mange une salade ou une soupe. Tous les soirs, après dîner, elle rencontre ses copains au bistrot du quartier. Avant de se coucher, elle ne lit pas souvent parce qu'elle s'endort toujours très vite.

13. Dans l'unité 4 il y a beaucoup de mots nouveaux. Cherchez cinq mots que vous considérez importants et écrivez ce qu'ils signifient. Puis faites une phrase avec chacun.

> *se détendre signifie...* ....
....
....
....
....
....
....
....

14. Écoutez les verbes **dormir** et **boire** au présent et dites quelles sont les différences que vous remarquez entre les diverses personnes de chaque verbe.

15. **A.** À vous maintenant de conjuguer au présent et oralement les trois premières personnes des verbes suivants : **danser**, **venir**, **terminer**, **prendre** et **sortir**.

	danser	venir	terminer	prendre	sortir
je					
tu					
il/elle					

B. Vérifiez vos réponses avec l'enregistrement.

16. Comme vous l'avez étudié dans le *Livre de l'élève* et dans le **Mémento grammatical**, les verbes se conjuguent en fonction de leurs bases. Par exemple, **dormir** est un verbe à deux bases et **boire**, à trois bases. Écoutez l'enregistrement et complétez le tableau.

	dormir (2 bases)	**boire** (3 bases)
je tu il/elle/on	dor	
nous vous		
ils/elles		

17. Maintenant dites combien et quelles sont les bases des verbes suivants : **sortir**, finir, **devoir** et **pouvoir**.

	Nº de bases	bases
sortir	2	sor, sort
finir		
devoir		
pouvoir		

18. **A.** Maintenant que vous les avez écoutés et que vous avez vu comment ils s'écrivent, à vous d'écrire et de prononcer la 1ère personne du singulier et 1ère personne du pluriel des verbes suivants : **préférer**, **s'appeler**, **rappeler** et **envoyer**.

préférer : je .... nous ....
s'appeler : je .... nous ....
rappeler : je .... nous ....
envoyer : j' .... nous ....

B. Écoutez l'enregistrement et vérifiez vos réponses.

Vos stratégies pour mieux apprendre

LIRE SANS COMPRENDRE TOUS LES MOTS

19. Nous avons supprimé certains mots mais si vous lisez ces passages, vous verrez que vous comprenez parfaitement ce qu'ils veulent dire. Essayez !

NON AU STRESS !

✔ La meilleure façon de xxxxxxxxxxxx contre le stress est de garder une xxxxxx optimiste. (...) être capable de voir la vie de façon positive permet d'xxxxxxxxxx le stress, de s'accepter et d'accepter xxxxxxxxxxxxx plus facilement. Un xxxxxxxxxxxx moyen pour voir les bons côtés de la vie, c'est de rire !(...)

L'exercice physique

(...) Pour se maintenir en forme, il xxxxxxxxxxx faire un peu de marche tous les jours. Le mieux, bien sûr, c'est de xxxxxxxxxxxx différentes activités comme le vélo, le footing, xxxxxxxxxxxx, etc. Il faut encore dire que le sport permet de faire travailler le cœur (...)

Que s'est-il passé ? Exactement la même chose que quand vous lisez dans votre propre langue. Vous ne lisez pas tous les mots ni toutes les lettres : mais quand nous lisons dans une langue que nous sommes en train d'apprendre, nous ne sommes pas rassurés et voulons tout lire. À présent, vous constatez que vous pouvez comprendre le message sans connaître tous les mots.

20. A. Mais nous voulons aussi apprendre de nouveaux mots. Quand nous lisons dans une langue que nous ne maîtrisons pas, nous pouvons déduire le sens des mots par le contexte. Comme dans notre propre langue ! Essayez maintenant avec les mots que nous vous proposons.

NON AU STRESS !

✔ La meilleure façon de lutter contre le stress est de garder une attitude optimiste. (...) être capable de voir la vie de façon positive permet d'affronter le stress, de s'accepter et d'accepter les autres plus facilement. Un excellent moyen pour voir les bons côtés de la vie, c'est de rire ! (...)

L'exercice physique

(...) Pour se maintenir en forme, il suffit de faire un peu de marche tous les jours. Le mieux, bien sûr, c'est de pratiquer différentes activités comme le vélo, le footing, la natation, etc. Il faut encore dire que le sport permet de faire travailler le cœur (...)

B. Finalement, demandez à votre professeur ou cherchez dans le dictionnaire le sens de ces mots. Est-ce que vos déductions étaient bonnes ?

lutter :
attitude :
affronter :
les autres:

excellent :
suffit de :
pratiquer la natation :

STRATÉGIE

Quand nous lisons, nous pouvons découvrir le sens de beaucoup de mots et d'expressions à travers leur contexte : le sujet du texte et les mots qu'il y a avant et après. En plus, la ressemblance avec des mots d'autres langues peuvent aussi nous aider.

LE DELF A1. COMPRÉHENSION DE L'ORAL

 21. Vous allez écouter deux fois quatre petits dialogues. Après, vous complétez les tableaux ci-dessous. Lisez d'abord les questions.

1. QUEL EST LE CONSEIL DU MÉDECIN ?
- ☐ Dormir plus.
- ☐ Manger moins.
- ☐ Faire du sport.
- ☐ Travailler moins.
- ☐ Prendre des vacances.

2. QUEL EST LE PROBLÈME DE SYLVIE ?
- ☐ Son bébé ne dort pas bien.
- ☐ Elle mange trop.
- ☐ Elle travaille trop.
- ☐ Elle n'arrive pas à maigrir.
- ☐ Elle dort mal.

3. QUEL EST LE PROBLÈME DE CHRISTOPHE ?
- ☐ Il n'est pas en forme.
- ☐ Il ne sait pas quoi faire.
- ☐ Il n'est pas assez actif.
- ☐ Il mange trop.
- ☐ Il travaille trop.
- ☐ Il dort mal.

4. QUEL EST LE CONSEIL DU MÉDECIN ?
- ☐ Regarder la télé
- ☐ Manger plus
- ☐ Avoir des activités physiques
- ☐ Se coucher tôt
- ☐ Travailler moins

LE DELF A1. COMPRÉHENSION DES ÉCRITS

22. Demain vous vous inscrivez dans un club de sport. Vous voulez y aller le matin avant le travail (entre 7 h et 8 h) et le dimanche matin. Vous voulez aussi faire un peu de natation. Voici quatre annonces trouvées dans la presse locale.

Le Discobole

SALLE DE SPORT (MUSCU, FITNESS, SQUASH, STEP...) PISCINE, SAUNA...

HORAIRES :
DU LUNDI AU SAMEDI   7 H 00 – 21 H 00
DIMANCHE   10 H 00 – 17 H 00

TARIF FORFAITAIRE : 60,00 € PAR MOIS

TÉL. : 05 61 37 49 82

Le Roi de la Muscu

Salle de muscu, appareils, tapis roulants, fitness...

Nos horaires :
Du Lundi au Samedi de 7 h 00 à 21 h 00
Nous ouvrons aussi le dimanche
(8 h 00 – midi)

Renseignements :
Tél. 05 61 83 49 67

Allegro - Sport et Détente

Salle de sport pour entretenir sa forme. Step, cardio-funk, pump, abdo-fessiers... Et aussi des appareils de musculation, saunas...

Renseignements, horaires et tarifs :
Tél. 05 61 48 72 91

Énergie +
Tout pour être en forme

Squash, fitness, muscu, arts martiaux, danse... Et bien sûr, notre piscine olympique !

Tél. 05 61 87 45 23 14

À PARTIR DE 55,00 € PAR MOIS

Horaires :
Du lundi au vendredi   Samedi   Fermé le dimanche
9 h - 21 h   9 h - 21 h

---

a) À quel numéro téléphonez-vous ?

....

b) Quel est le prix à payer par mois ?

....

LE DELF A1. PRODUCTION DE L'ORAL

23. Dialogue simulé (voir page 31) : « Vous vous présentez à la salle de sport choisie, vous demandez des renseignements et réalisez l'inscription. »

LE DELF A1. PRODUCTION ÉCRITE

24. Complétez votre fiche d'inscription au club.

Fiche d'inscription

Nom : ....
Prénom : ....
Lieu et date de naissance : ....
Adresse : ....

Téléphone : ....
Courriel : ....@ ....
Loisirs / Sports : ....

Unité 5
VOUS PARLEZ ITALIEN ?

1. Voici le CV de Sophie. Si vous le lisez attentivement, vous pourrez dire pas mal de choses sur ses expériences et sur ses compétences.

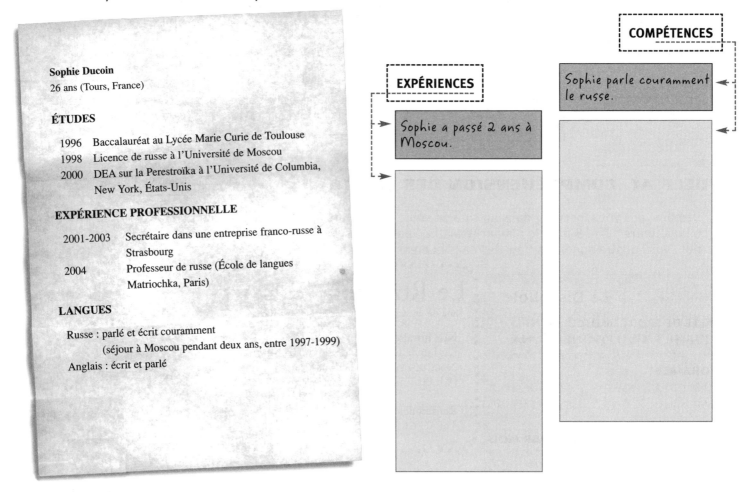

Sophie Ducoin
26 ans (Tours, France)

ÉTUDES

1996   Baccalauréat au Lycée Marie Curie de Toulouse
1998   Licence de russe à l'Université de Moscou
2000   DEA sur la Perestroïka à l'Université de Columbia, New York, États-Unis

EXPÉRIENCE PROFESSIONNELLE

2001-2003   Secrétaire dans une entreprise franco-russe à Strasbourg
2004   Professeur de russe (École de langues Matriochka, Paris)

LANGUES

Russe : parlé et écrit couramment
(séjour à Moscou pendant deux ans, entre 1997-1999)
Anglais : écrit et parlé

EXPÉRIENCES

COMPÉTENCES

Sophie a passé 2 ans à Moscou.

Sophie parle couramment le russe.

2. Vous vous rappelez la formation des participes passés ? Voilà quelques verbes déjà étudiés (remplissez la colonne de droite comme dans l'exemple).

INFINITIF	PARTICIPE PASSÉ
étudier	étudié
parler	
aller	
dormir	
naître	
partir	
vivre	

INFINITIF	PARTICIPE PASSÉ
prendre	
rester	
finir	
lire	
peindre	
comprendre	
se marier	

3. **A.** Associez un personnage célèbre de la première colonne à un verbe de la deuxième et à un objet, un fait ou une œuvre de la troisième.

PERSONNAGE	VERBE	OBJET / FAIT / ŒUVRE
Hergé	aller	cinq fois le Tour de France
Spielberg	créer	contre l'injustice
Zidane	découvrir	dans plusieurs équipes de football
Marie Curie	écrire	*E.T.*
Angelina Jolie	gagner	la radioactivité
Van Gogh	interpréter	Lara Croft dans *Tomb Raider*
Neil Amstrong	jouer	le personnage de Tintin
Gandhi	peindre	*Les tournesols*
Lance Amstrong	réaliser	sur la lune
JK Rowling	se battre	*Harry Potter à l'école des sorciers*

B. Maintenant faites des phrases au passé composé.

1 Hergé a créé le personnage de Tintin.
2 ....
3 ....
4 ....
5 ....
6 ....
7 ....
8 ....
9 ....
10 ....

4. Voici certains acquis et quelques aspirations de toute l'humanité. Complétez les phrases suivantes en utilisant **déjà** ou **pas encore**.

1. Les médecins n'ont .... trouvé la manière de guérir le sida.

2. Les astronautes n'ont .... marché sur la planète Mars. Mais par contre, ils ont .... mis le pied sur la Lune.

3. Jusqu'à présent, on n'a .... découvert l'Atlantide.

4. Malgré les efforts des scientifiques, on n'a .... trouvé la preuve d'une vie extraterrestre.

5. Les pyramides d'Egypte n'ont .... révélé tous leurs secrets.

6. On a .... réussi à cloner des animaux, mais on n'a .... cloné d'êtres humains.

5. Pensez à trois personnes de votre entourage (famille, amis, connaissances, voisins...) qui, selon vous, sont de bons professionnels. Essayez de décrire et d'évaluer leur vie professionnelle et les aspects positifs et négatifs de celles-ci, comme dans l'exemple.

> Mon oncle Marco est médecin.
> Il travaille pour Médecins Sans Frontières en Afrique.
> Il voyage beaucoup et aide les gens...

6. **A.** Voici une série de verbes. Placez dans le sac **A** les verbes qui se conjuguent avec **avoir** et dans le sac **E**, les verbes qui se conjuguent avec **être**.

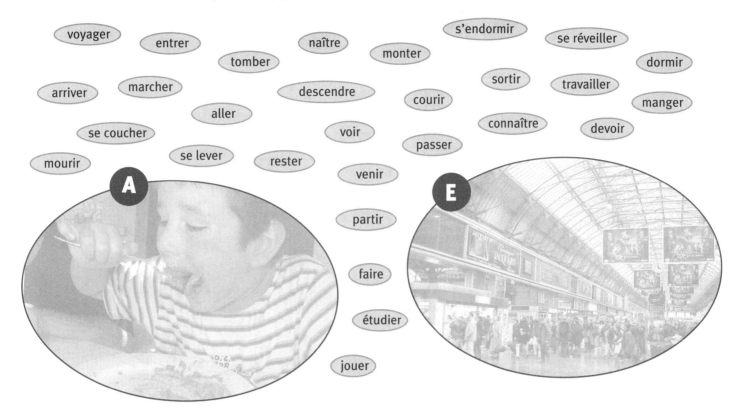

voyager entrer naître s'endormir se réveiller monter tomber dormir sortir travailler marcher descendre courir manger arriver aller voir connaître devoir se coucher se lever rester passer mourir venir partir faire étudier jouer

B. Maintenant, écrivez quatre phrases au passé composé avec les verbes **marcher**, **se coucher**, **étudier** et **aller**.

....
....
....
....

7. Soulignez la préposition qui convient dans chaque cas.

● Tu sais où vous allez en vacances cet été ?

❍ Pas encore, j'aimerais partir **au** / **en** / **à** Inde.

● C'est loin ! Marco est d'accord ?

❍ Pas vraiment. Il veut voyager **pour** / **à la** / **en** Espagne. On n'a pas encore décidé. Et toi, finalement, tu pars **à** / **en** / **au** Cuba ou tu restes **en** / **à l'** / **dans l'** Europe ?

● Ni l'un ni l'autre ! J'ai changé d'avis et je prépare un voyage **en** / **dans le** / **au** Maroc.

❍ C'est génial ! Tu vas **en** / **à** / **dans** Casablanca ?

● Non, je vais faire un circuit pour visiter tout le pays. Et tu sais où Patrick part en vacances ? **Au** / **En** / **Aux** États-Unis ?

❍ Non ! Je crois qu'il va **en** / **au** / **à l'** Uruguay puis **en** / **à l'** / **au** Argentine avec sa nouvelle copine. Ses parents habitent **en** / **à** / **dans** Montevideo.

● Enfin, vivement les vacances !

8. **A.** Est-ce que vous savez faire ces choses-là ? Complétez d'abord le tableau et écrivez ensuite cinq phrases.

	très bien	bien	un peu	je ne sais pas
cuisiner				
danser				
patiner				
jouer au tennis				
nager				
skier				
faire des gâteaux				
chanter				
écouter les autres				
parler en public				
mentir				
parler français				
dessiner				
écrire				
raconter des blagues				

Je sais bien dessiner.

B. Parmi les choses que vous ne savez pas faire, quelles sont celles que vous voulez apprendre ? Pourquoi ?

Je veux apprendre à chanter.

C. Et eux/elles ? Qu'est-ce qu'ils/elles savent faire ?

Les femmes au foyer ....

Les pop stars ....

Les avocats ....

Les professeurs de français ....

Les médecins ....

Les policiers ....

PRÉSENT OU PASSÉ COMPOSÉ ?

Remarque : vous pouvez de temps en temps confondre la première personne du présent de l'indicatif avec celle du passé composé parce que leur prononciation est très proche :
je fais [jə fɛ] – **j'ai fait** [jɛ fɛ] ou **je dis** [jə di] – **j'ai dit** [jɛ di].

9. Qu'est-ce que vous entendez ? Présent ou passé composé ? Cochez la case correspondante, puis essayez d'écrire la phrase.

	Présent	P. composé	Phrase
1			
2			
3			
4			
5			
6			
7			
8			
9			
10			
11			
12			

PHONÉTIQUE DU GENRE

10. A. Écoutez puis cochez la case correspondante pour indiquer si les adjectifs que vous entendez sont féminins, masculins ou si l'on ne sait pas.

	Masculin	Féminin	On ne sait pas
1			
2			
3			
4			
5			

B. Vous allez entendre six phrases qui contiennent les adjectifs suivants. Déterminez, par la prononciation ou le contexte, s'ils sont au masculin ou au féminin.

	Masculin	Adjectif	Féminin
1		organisé/organisée	
2		sociable	
3		allemand/allemande	
4		patient/patiente	
5		doué/douée	
6		aimable	
7		fantastique	

Vos stratégies pour mieux apprendre

11. **A.** Regardez ces textes, mais ne les lisez pas. Est-ce que vous savez lequel de ces trois textes est une offre d'emploi, une annonce immobilière et des données statistiques ?

MERCURE BRETAGNE PAYS DE LOIRE
BASSE NORMANDIE- 35740 PACE
✆ : 02 99 85 25 00 Fax : 02 99 85 25 98

AU CŒUR DE LA LOIRE ATLANTIQUE, grand Château XVème remanié XVIIIème, sur 800 m² habitables en 20 pièces principales, sur trois niveaux. Grandes pièces de réception avec boiseries murales, parquet, cheminées, une vingtaine de chambres, bureau, grande salle de jeux. Vastes dépendances: divers bâtiments sur 500 m², Maison de gardien, grange et chapelle. Beau parc de 40 hectares avec prairies et forêt. Ref.BLN313. Nous consulter.

MÉTÉO

Précipitations extrêmes

Depuis le 22 septembre 1992, après que l'Ouvèze en crue eut emporté le pont antique de Vaison-la-Romaine (Vaucluse) provoquant la mort de 37 personnes, les épisodes de pluies intenses n'ont pas cessé de se multiplier. En novembre 1994, toute la région Provence-Alpes-Côte d'Azur est inondée. Quelques mois plus tard, la Bretagne souffre à son tour. En janvier 1996, l'Hérault est particulièrement frappé : le village de Puisserguier est emporté par un torrent de boue. En juin 2000, le sud de la France a les pieds dans l'eau. Mais les inondations qui ont touché la Somme au printemps de 2001 auront été les plus dramatiques. Le niveau des précipitations a été deux fois plus important que la normale. Conséquence : l'évacuation de plusieurs milliers d'habitations. Les épisodes de sécheresse ont été beaucoup moins nombreux, mais tout aussi spectaculaires : entre juin et juillet 1996, la ville de Rennes n'a enregistré que 14 millimètres de pluie, du jamais-vu depuis un siècle ! La Provence a connu lors de la saison 1999-2000 son hiver le plus sec depuis 1949.

Tous ces événements extrêmes traduisent-ils un changement climatique profond ? Les experts ne veulent pas se prononcer. Pour eux, une décennie n'est pas, en effet, une période suffisamment longue pour en conclure à un bouleversement durable des conditions atmosphériques. D'autant que les évolutions

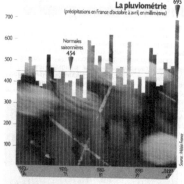

La pluviométrie
(précipitations en France d'octobre à avril, en millimètres)

Normales saisonnières 454

695

sont loin d'être homogènes sur l'ensemble de l'Hexagone. L'année la plus pluvieuse de la décennie a été 2000 à Paris, 1996 à Marseille et 1992 à Bordeaux... ●

ATIS REAL Auguste-Thouard

ATIS Real premier groupe européen de services immobiliers aux entreprises (Royaume Uni, Allemagne, Espagne, Belgique et France) : 1700 personnes, 300 M d'euros... Nous sommes reconnus pour la qualité de notre offre et pour nos solutions pertinentes en matière de transaction, de gestion, d'expertise et de conseil. Notre entité, ATIS Auguste-Thouard, est le leader en France sur le marché de la transaction en immobilier d'entreprise et s'appuie sur une excellente couverture nationale (Ile de France et 18 régions). Afin d'accompagner notre développement, nous recherchons un :

Directeur Marketing Opérationnel h/f

Immobilier d'Entreprise   Levallois (92)

Rattaché au Directeur Marketing Communication, vous managez l'équipe "Marketing Opérationnel". Vous participez à des appels d'offres de propriétaires souhaitant promouvoir et commercialiser leurs biens (bureaux, locaux d'activités et commerces) en leur proposant des plans marketing adaptés. Vous soutenez nos équipes commerciales en créant des opérations complètes et personnalisées de marketing direct : ciblage, création graphique, mailing, phoning, rapport de commercialisation...
Votre rapide compréhension des marchés vous permet d'être un acteur déterminant dans la conquête et la fidélisation des clients et dans la réussite des projets. Vous coordonnez les actions de marketing opérationnel sur l'ensemble de la France.

A 30/35 ans environ, vous êtes de formation supérieure (ESC ou équivalent). Vous bénéficiez d'une expérience confirmée de Marketing Opérationnel dans une activité B to B. Votre anglais est opérationnel. Vous alliez rigueur et imagination et vous savez en particulier définir des priorités. Dynamique et pragmatique, vous mobilisez les talents et la créativité de votre équipe autour d'objectifs clairs : la qualité du service et la satisfaction des clients. Vous bénéficierez d'un environnement de travail de haut niveau favorisant l'épanouissement personnel.

PREMIERE *ligne*

Pour un entretien avec la société, merci d'adresser lettre, CV et photo sous la référence B4300 à notre Conseil : **PREMIERE LIGNE** - 54, Avenue du Général Leclerc 92513 BOULOGNE Cedex.
Fax : 01 46 05 00 34 - E-mail : premiere.ligne@wanadoo.fr

B. Dans lequel de ces trois textes pouvez-vous trouver les mots ci-dessous ?

> CV   château   hiver   clients   grande salle   pluie

C. Vérifiez vos hypothèses.

STRATÉGIE

Comprendre un texte ne veut pas dire comprendre tous les mots. Comprendre un texte, c'est retenir les informations qu'il contient et qui nous intéressent. Voilà pourquoi il est utile de connaître la grammaire et le vocabulaire. Mais aussi, et surtout, il est utile d'avoir des connaissances sur l'aspect graphique et la présentation des différents types de textes.

LE DELF A2

De l'unité 5 à l'unité 8, nous allons préparer le DELF A2, nouvelle version. C'est un examen simple qui va évaluer vos connaissances élémentaires en français pour établir des **rapports sociaux**.

Il y a quatre épreuves différentes : Compréhension de l'oral (CO), Compréhension des écrits (CE), Production écrite (PE) et Production orale (PO). Chaque épreuve est notée sur 25 points, ainsi le DELF A2 complet est noté sur 100 points.

LE DELF A2. COMPRÉHENSION DES ÉCRITS
Vous allez lire des documents sur des situations ou des sujets de la vie quotidienne (comprendre des informations générales, des titres, de petits articles de presse, des publicités, etc.) et vous allez remplir des questionnaires de compréhension générale.

12. Dans le journal *Francophonie matin*, il y a six titres à associer à une rubrique de journal. Inscrivez à côté de chaque rubrique le chiffre correspondant au titre.

POLITIQUE

CULTURE

SCIENCES

ÉCONOMIE

SPORTS

SOCIÉTÉ

1 **Les Sénégalais se rendent nombreux aux urnes pour le référendum.**

2 **Un train déraille au Québec : heureusement il n'y a pas de victimes.**

3 **Le cinéma africain à l'honneur à Cannes.**

4 **Essence et dérivés du pétrole : les prix flambent !**

5 **Lyon écrase Auxerre et conserve la tête du Championnat.**

6 **Un météorite va s'écraser sur la Terre en 2030 selon les experts.**

13. A. Lisez ces textes et répondez aux questions en cochant la réponse qui convient.

Je suis allé voir **Master and Commander.** C'est un film qui se déroule dans les mers du Sud. Il y a un navire, le Surprise qui est commandé par un capitaine impétueux. C'est un grand vaisseau de la Marine Britannique. Le Surprise affronte l'Achéron, un magnifique bateau corsaire.

J'ai beaucoup aimé l'histoire. Je trouve que les scènes de batailles navales sont vraiment bien faites. On dirait des vraies. Et puis Russell Crowe est excellent dans son personnage.

Je conseille aux lecteurs qui adorent l'aventure et les belles images de ne pas manquer ce film.

Cédric, Poitiers.

L'autre jour, j'ai vu la troisième partie du **Seigneur des Anneaux.** C'est un très bon film que je recommande. On suit Frodon dans ses péripéties pour arriver à la crevasse et jusqu'au dernier moment, on se demande s'il pourra jeter l'anneau et vaincre le mal. Les combats du siège de Minas Tirith sont très bien faits. On a beaucoup parlé de l'araignée : personnellement, je pense qu'on exagère, elle ne fait pas vraiment peur.

Romain, Besançon.

Après le monde des oiseaux, voici celui des baleines avec **La planète bleue.** Franchement, je n'ai pas du tout aimé. C'est vrai que les images sont jolies : on voit comment vivent les balcines et d'autres mammifères marins, mais qu'est-ce qu'on s'ennuie ! Je sais que ce n'est pas facile de filmer les animaux et j'imagine qu'il a fallu beaucoup de temps mais c'est bien pour un documentaire à la télé, pas au cinéma. Et puis, c'est peut-être joli le chant des baleines mais j'aimerais bien en apprendre plus sur leur vie.

Je crois qu'un film comme ça, c'est fait pour s'endormir au cinéma ou partir avant la fin de la séance (moi, je suis partie) ! Si les lecteurs ne l'ont pas encore vu, qu'ils se rassurent, ils n'ont rien raté.

Fatiha, Toulouse.

Ces textes sont :

○ des lettres entre amis.
○ des lettres adressées à la rubrique Courrier des lecteurs.
○ des articles d'un journal spécialisé.

B. Répondez aux questions par **vrai** ou **faux**.

Questions	VRAI	FAUX
1. Le *Surprise* et l'*Achéron* sont des bateaux corsaires.		
2. Les combats sur la mer semblent réels.		
3. Le film est aussi bon que le livre.		
4. L'araignée n'a pas effrayé Romain.		
5. « La planète bleue » raconte une histoire d'oiseaux et de mammifères marins.		
6. Fatiha s'est endormie dans la salle de cinéma.		

C. Justifiez vos réponses en citant le passage exact du texte. Ensuite comptez vos points : 0,5 par réponse exacte et 0,5 si la justification est correcte. Note : .... /6.

1. ....
2. ....
3. ....
4. ....
5. ....
6. ....

D. Retrouvez dans les textes des expressions ou des mots synonymes. (Attention, les verbes des textes peuvent être conjugués !)

se passer : ....
conseille : ....
incidents : ....
être nécessaire : ....
se tranquilliser : ....

Comptez vos points : 0,5 par bonne réponse. Note : .... /2,5.

E. Quelles sont les opinions de chacun ? Justifiez votre réponse.

Lettre nº :	Favorable	Défavorable	Justification
1			
2			
3			

Comptez vos points : 0,5 par bonne réponse (si vous n'avez pas trouvé la justification, −0,25). Note : .... /1,5.

PRODUCTION ÉCRITE

Vous allez décrire un événement ou une expérience personnelle et rédiger une lettre amicale (invitation, remerciement, excuse, etc.). Ce sont des textes de 60 à 80 mots.

Quelques conseils

On ne vous notera pas sur la véracité de votre récit, mais sur votre capacité à faire cette description ou raconter un événement simple (ne vous perdez pas dans des détails complexes !).

♦ Dans cet exercice, vous allez situer dans le temps l'événement ou l'expérience que vous voulez décrire : *Hier, je suis allé(e)… / la semaine dernière (le mois dernier, l'année dernière), j'ai fait… / il y a trois jours (semaines, mois, ans), j'ai vu…*

♦ S'il s'agit d'un voyage, vous dites ce que vous avez vu. N'ayez pas peur d'inventer !

♦ Introduisez des impressions à l'aide de verbes (*j'ai aimé, je n'ai pas aimé, j'ai adoré, j'ai détesté, j'ai trouvé ça bien / mal*) ou d'adjectifs positifs (*beau, joli, gai, excellent, intéressant, merveilleux, sympa…*) ou négatifs (*laid, moche, mauvais, nul, triste, …*).

♦ Donnez votre opinion : *À mon avis, / selon moi,   c'est une excellente / mauvaise idée*
Je pense que / je crois que / je trouve que   c'est une excellente / mauvaise idée

♦ Justifiez de façon simple votre opinion : *je pense que c'est intéressant parce que…*

♦ Vous pouvez aussi exprimer votre admiration : *qu'est-ce que / comme c'est* + adjectif masculin singulier.
***Qu'est que c'est** beau, les Alpes !*
***Qu'est-ce que c'est** joli, la Méditerranée !*
***Comme c'est** beau, la Normandie !*

♦ Respectez le nombre de mots ! Voici une façon de compter les mots :
J'ai fait un voyage merveilleux. Qu'est-ce que c'est beau, la Martinique !
Nombre de mots dans cette phrase :
◯ 10
◯ 12
◯ 15

Généralement, un texte de 80 mots correspond à 8 ou 10 lignes écrites à la main.

Réponse : 15. Tous les mots de la phrases comptent. C'est = 2 Qu'est-ce que c'est = 6 Parce que = 2

---

14. Vous avez vu un film d'aventures et vous décidez d'envoyer vos impressions à un magazine de cinéma (60 à 80 mots).

....
....
....
....
....
....
....
....
....
....
....

Unité 6
ÇA CÔUTE COMBIEN ?

1. Paul et Céline ont des courses à faire. Voici leurs deux listes. Dans quels magasins peuvent-ils faire leurs achats ? Écrivez les réponses comme dans l'exemple.

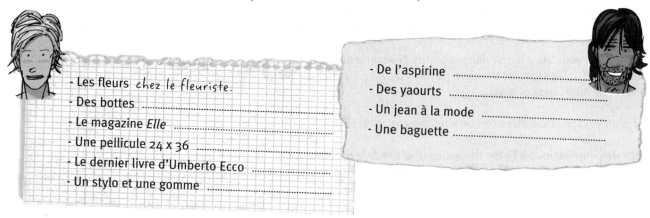

- Les fleurs *chez le fleuriste.*
- Des bottes ....
- Le magazine *Elle* ....
- Une pellicule 24 x 36 ....
- Le dernier livre d'Umberto Ecco ....
- Un stylo et une gomme ....

- De l'aspirine ....
- Des yaourts ....
- Un jean à la mode ....
- Une baguette ....

2. A. Demandez le prix des choses suivantes. **Combien coûte/coûtent ce / cet / cette / ces... ?**

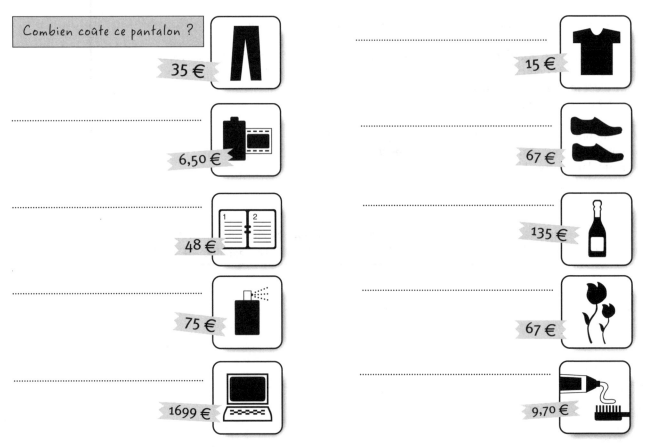

Combien coûte ce pantalon ?
35 €

....
15 €

....
6,50 €

....
67 €

....
48 €

....
135 €

....
75 €

....
67 €

....
1699 €

....
9,70 €

B. Quelles sont les choses qui vous paraissent chères ? Et celles qui vous paraissent bon marché ? Écrivez vos observations. Vous pouvez utiliser ces adverbes : **un peu**, **assez**, **très**, **trop**.

Le pantalon est bon marché.

3. D'où sont ces devises ?

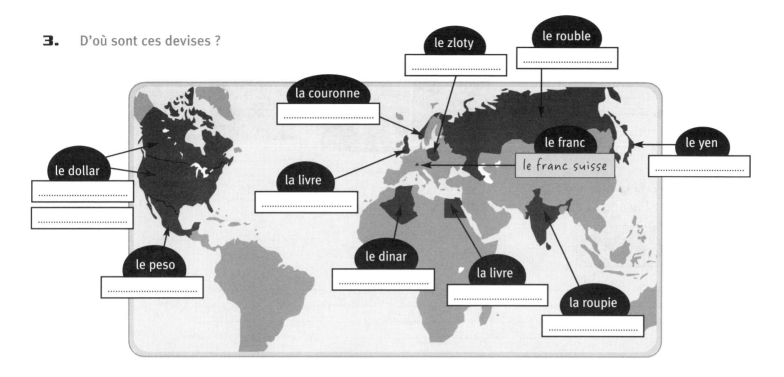

4. Vous vous rappelez le nom de ces vêtements ?

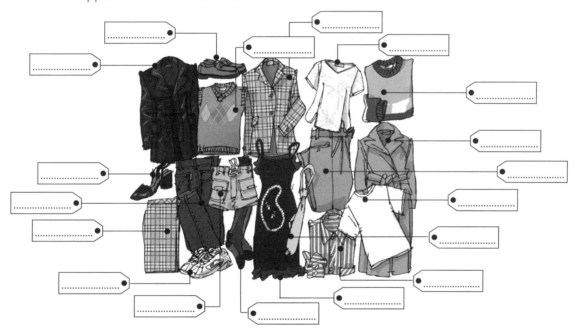

5. Avec quoi associez-vous ces couleurs ? Utilisez le dictionnaire si nécessaire et faites attention à l'accord des adjectifs !

Choses **bleues**

la mer : bleue
un jean : bleu

Choses **noires**

....
....

Choses **blanches**

....
....

Choses **vertes**

....
....

Choses **marron**

....
....

Choses **jaunes**

....
....

Choses **rouges**

....
....

Choses **roses**

....
....

6. **A.** Est-ce que les saisons ont une couleur ? Choisissez quatre couleurs qui, pour vous, correspondent aux quatre saisons.

L'été, *je le vois* ....
Le printemps, ...
L'automne, ...
L'hiver, ...

B. Et les jours de la semaine ? Est-ce que vous les associez à une couleur spéciale ?
Et les mois de l'année ? Écrivez vos impressions, faites quelques associations.

> Le dimanche, je le vois...
> Le mois de juillet,...

....
....
....
....
....
....
....

7. Vous allez partir en voyage dans un des endroits suivants.

♦ Des vacances de deux semaines au Canada, en novembre.
♦ Un voyage d'affaires en Guyane, en juillet.
♦ Quatre semaines en Argentine, en décembre.
♦ Trois jours à Paris, en mai.

Choisissez un de ces voyages et faites votre valise : faites la liste des vêtements que vous prenez et ajoutez-y éventuellement d'autres objets.

....
....
....
....

8. De quoi ils parlent ?

① Vous pouvez l'acheter dans une bijouterie.
② Vous les mangez à l'occasion de fêtes et ils sont à la crème, au chocolat...
③ Vous les mettez pour lire, conduire, voir des films au cinéma...
④ Les gens l'achètent normalement au supermarché.
⑤ Vous pouvez les lire chez vous, dans l'autobus, au salon de coiffure...
⑥ Vous l'utilisez pour payer, mais ce n'est pas de l'argent.
⑦ Normalement, ce sont les femmes qui la portent et ce n'est pas une jupe.
⑧ Vous pouvez les manger dans un restaurant ou chez vous.

Ils parlent de ...

○ les revues
○ les gâteaux
○ la robe
○ la montre
○ les pizzas
○ les lunettes
○ la nourriture
○ la carte de crédit

9. À vous maintenant de décrire ces choses en utilisant les pronoms **le**, **la**, **l'**, **les**.

le lave-linge [on l'utilise pour laver le linge]
le pantalon ....
le champagne ....
les fleurs ....
le téléphone ....

le réveille-matin ....
les lunettes de soleil ....
le baladeur ....
les skis ....
le tabac ....

10. **A.** Luc et Paul, deux frères, sont en train de choisir des cadeaux de Noël. Remplacez les mots en caractère gras par un pronom (**le**, **la**, **l'**, **les**, **lui**, **leur**).

> ● Qu'est-ce que nous pouvons acheter à la tante Agnès ?
> ○ Nous pouvons acheter un foulard **à la tante Agnès** !
>   Nous pouvons <u>lui</u> acheter un foulard !

● Et à la tante Josette ? Le livre sur son acteur préféré, qu'est-ce que tu en penses ?
○ Tu as raison, on peut acheter **ce livre**.

....

○ Et pour l'oncle René et la tante Colette ?
● Je ne sais pas. On peut acheter un disque.
○ D'accord, nous pouvons acheter un disque **à l'oncle René et à la tante Colette**.

....

○ Et grand-mère ? Qu'est-ce qu'on achète **à grand-mère** ?

....

○ Comme d'habitude, les chocolats belges qu'elle aime tant.
● D'accord, j'achète **les chocolats**.

....

● Sylvain veut les mêmes chaussures que son frère.
○ Bon, alors c'est facile. Tu achètes **les mêmes chaussures**.

....

B. À vous de remplir ce tableau.

	Pronom COD	Pronom COI
J'achète **le foulard**.	Je .... achète. (devant une voyelle ou une **h** muet)	
Tu manges **le dernier biscuit**.	Tu .... manges.	
Vous lisez **la lettre de Karine**.	Vous .... lisez.	
Il apporte **les jus de fruits**.	Il .... apporte.	
Je téléphone **à Patrick / à Julie**.		Je .... téléphone.
Nous offrons un livre **à mes parents**.		Nous .... offrons un livre.

11. Et vous, est-ce que vous avez les choses suivantes ? Répondez en suivant l'exemple ci-dessous.

Vous avez une voiture ?

> Non, je n'ai pas de voiture.
> Oui, j'ai une Peugeot 305.

1 Vous avez un ordinateur ?

....

....

2 Vous avez un caméscope ?

....

....

3 Vous avez une moto ?

....

....

4 Vous avez un appareil photo ?

....

....

5 Vous avez un piano ?

....

....

6 Vous avez une voiture ?

....

....

7 Vous avez une guitare ?

....

....

8 Vous avez des skis ?

....

....

12. Vous devez acheter un cadeau. Vous hésitez à faire votre choix parmi les objets ci-dessous.

> Qu'est-ce qu'on achète ?
> Un bouquet ou une pendule ?

> Quel pull on achète ?
> Celui-ci ou celui-là ?

....

....

....

....

....

....

....

13. Dites ce que représente le **on** dans les phrases suivantes : **nous** ou **quelqu'un** / **les gens** (impersonnel) ?

	Nous	Impersonnel
1. Sabine et moi on va à la piscine demain.		
2. En France, on apporte des fleurs quand on est invité chez des amis		
3. Au Québec, on parle français.		
4. On achète un disque à Sandra pour son anniversaire.		
5. On doit aller au supermarché, il n'y a plus rien à manger.		
6. En France, on mange beaucoup de fromage.		
7. On peut payer avec la Carte Bleue ?		

14. Complétez les questions suivantes à l'aide de **est-ce que** et **qu'est-ce que** puis répondez aux questions en consultant les pages 64 et 65 du *Livre de l'élève*.

1. En France, ... on apporte un livre quand on est invité à manger chez un ami ?

....

....

....

2. .... on offre quand on va voir quelqu'un à l'hôpital ?

....

....

....

3. .... la consommation des Français a varié depuis la deuxième guerre mondiale ?

....

....

....

....

....

4. .... on offre quand on va à un mariage ?

....

....

....

....

LES SONS [I], [Y] ET [U]

15. A. Écoutez et indiquez si vous entendez le son [i] comme dans **si**, le son [u] comme dans **sous** ou le son [y] comme dans **sur**.

	[i]	[u]	[y]
1			
2			
3			
4			
5			
6			

B. Vous allez entendre cinq séries de mots. Écoutez-les et indiquez, comme dans l'exemple, quel est le premier mot que vous entendez et quel est le deuxième.

		[i]		[y]
a.	2	riz	1	rue
b.		dire		dure
c.		mille		mule
d.		pile		pull
e.		riche		ruche

C. Vous allez entendre six séries de mots. Écoutez-les et indiquez, comme dans l'exemple, quel est le premier mot que vous entendez et quel est le deuxième.

		[u]		[y]
a.	1	roue	2	rue
b.		boue		bue
c.		boule		bulle
d.		Louis		lui
e.		doux		du
f.		pou		pu

D. Cherchez dans cette unité cinq mots qui contiennent chacun de ces sons.

♦ [i] : ....
♦ [u] : ....
♦ [y] : ....

E. Lisez à haute voix les phrases suivantes puis écoutez l'enregistrement pour corriger.

♦ Tu aimes la musique ?
♦ Il possède une voiture, des lunettes et des skis.
♦ Tu as vu le dernier film de Liliane Dufour ?
♦ Tu m'attends dans la rue Saint Hubert ?
♦ Julien, tu viens avec nous ?

16. Voici quelques mots que vous avez appris dans cette unité. Certains ressemblent sûrement à des mots qui existent dans votre langue ou dans des langues que vous connaissez. D'autres mots peuvent se ressembler mais avoir des significations différentes, c'est ce qu'on appelle les « faux amis ».

- le papier
- les cosmétiques
- les boissons
- les fleurs
- les cartes postales

- les revues
- le journal
- l'électroménager
- la nourriture
- les médicaments

- les vêtements
- les gâteaux
- les livres
- les bijoux
- les chaussures

Indiquez avec le signe ≠ les « faux amis » et avec le signe = les mots qui se ressemblent dans les deux langues. Vous pouvez ajouter à cette liste des mots que vous connaissez ou que vous avez appris dans les unités précédentes avec les signes ≠ et =, comme ça vous pouvez mémoriser plus facilement le vocabulaire que vous apprenez.

17. Vous avez aussi appris les verbes : **offrir**, **aimer**, etc. À l'aide des verbes on peut poser beaucoup de questions : **qui ? quoi ? à qui ? où ? quand ?** Les trois premières questions sont importantes pour savoir comment se construit le verbe.

- Offrir :　**qui** offre ?　　　　　　　　　　　　quelqu'un
　　　　　qu'offre cette personne ?　　　　　quelque chose
　　　　　à qui cette personne offre quelque chose ?　　à quelqu'un

- Aimer :　**qui** aime ?　　　　　　　　　　　quelqu'un
　　　　　on aime **qui** ou **quoi** ?　　　　　quelqu'un ou quelque chose

On peut savoir alors si le verbe se construit avec un COD (complément d'objet direct) ou un COI (complément d'objet indirect) :

- qui ou quoi ?　　　　　　COD
- à qui ou à quoi ?　　　　　COI

18. Connaissez-vous d'autres verbes qui se construisent comme **offrir** ou **aimer** ? Faites-en la liste.

STRATÉGIE

Même si la signification est très proche en français et dans votre langue maternelle, les constructions verbales ne sont pas toujours les mêmes. Vous devez donc apprendre la signification des verbes mais aussi leur construction : ont-ils besoin d'un COD ou d'un COI ? Par exemple on dit en français **téléphoner à quelqu'un** mais on dit **appeler quelqu'un** !

LE DELF A2. COMPRÉHENSION DE L'ORAL

Vous allez écouter des petits documents sur des sujets de la vie quotidienne (des renseignements télé-phoniques, des informations à la radio, un dialogue simple, etc.) et vous allez remplir avec des croix ou des chiffres des questionnaires de compréhension générale.

19. **A.** Vous arrivez à la maison et il y a un message pour vous sur le répondeur automatique. Vous l'écoutez une première fois.

B. Vous l'écoutez une deuxième fois.

❶ Motif de l'appel.

- ◯ Fête surprise d'anniversaire.
- ◯ Fête surprise de mariage.
- ◯ Fête surprise de départ.

Christine va apporter

- ◯ une bouteille de vin
- ◯ un gâteau
- ◯ de la musique hip-hop pour la fête

Pour le cadeau,

- ◯ elle va offrir un CD.
- ◯ elle demande conseil à Anaïs et à Lionel.
- ◯ elle va offrir un livre.

C. Écoutez le message de Djamel et répondez par **vrai** / **faux** / **on ne sait pas**.

❷

MESSAGES	VRAI	FAUX	ON NE SAIT PAS
1. Djamel appelle Nicolas.	◯	◯	◯
2. Djamel s'occupe des desserts.	◯	◯	◯
3. Il y aura 12 personnes à la fête.	◯	◯	◯
4. Djamel veut offrir une maquette de voiture.	◯	◯	◯
5. Christophe connaît un marchand de maquettes.	◯	◯	◯
6. Djamel rappellera vers 15 h.	◯	◯	◯

D. Écoutez le message de Christophe et indiquez la bonne réponse.

❸

a.
- ◯ Christophe donne des instructions.
- ◯ Christophe dit ne pas savoir où se trouve le magasin de maquettes.
- ◯ Christophe explique où il habite.

b.
- ◯ La pharmacie est à côté de l'épicerie.
- ◯ La pharmacie est en face de l'épicerie.
- ◯ La pharmacie est à côté du magasin de maquettes.

c.
Anaïs a mal noté le portable de Christophe : 06 77 34 69 41

Corrigez-le :

_____

LE DELF A2. PRODUCTION ORALE

Elle comprend trois parties : un **entretien dirigé** (voir Unité 3, page 31), un **monologue suivi** et un **exercice en interaction**. Celui-ci (appelé **Dialogue simulé** dans le DELF A1) comprend certains éléments de négociation. Vous allez avoir 10 minutes de préparation pour ces deux dernières épreuves.

Monologue suivi

L'examinateur va vous demander de parler sur un sujet personnel (mais n'ayez pas peur d'inventer !) pendant 2 minutes environ.
Faites une introduction : « *Je vais donc vous décrire une de mes journées habituelles.* »
Faites aussi une conclusion simple (avec une intonation descendante) : « *Finalement, je me couche à minuit.* »
Un truc : parlez de ce que vous savez !

20. Entraînez-vous sur ce sujet : « Parlez des cadeaux que vous aimez faire à votre famille et à vos amis ».

Auto-évaluation

1. **A.** Voici la journée de Nathalie, informaticienne dans une grande société. Remplissez les espaces avec les verbes conjugués au présent et choisissez la préposition qui convient.

Le matin, je .... (se lever) à 7 heures. Je .... (prendre) un grand bol de corn-flakes et je .... (boire) un grand jus d'orange. Je .... (ne pas avoir) beaucoup de temps pour faire ma toilette. Je .... (partir) fatiguée et je .... (s'endormir) dans le bus. Je .... (commencer) **chez le / dans le / au** bureau à 8 heures 30, mais mes collègues .... (arriver) à 9 heures. J' .... (avoir) le temps de vérifier tout le système informatique avant leur arrivée. Dans la matinée, je .... (réparer) des ordinateurs en panne. À midi, je .... (rester) avec des collègues. Nous .... (manger) **mal à la / chez la / dans la** cantine de la société, mais ça .... (ne pas coûter) cher et nous .... (parler) de tout et de rien. L'après-midi, je .... (travailler) beaucoup : je .... (faire) des programmations et j'........................ (élaborer) des instructions à utiliser **aux / chez les / dans les** différents services. Je .... (finir) ma journée à 17 heures. Je .... (aller) faire un peu de sport **dans le / chez le / au** gymnase avant de rentrer **à / dans / chez** moi. Mon dîner, c'est un sandwich acheté **chez la / à la / dans la** boulangerie du coin. Après, je .... (sortir) prendre un verre avec des amis **dans le / chez le / au** Café des Arts.

B. Transformez ce texte au passé et à la troisième personne du singulier. Attention à la place des adverbes et à l'accord des participes. N'oubliez pas d'accorder les adjectifs possessifs si nécessaire.

> Hier matin, Nathalie s'est levée à 7 heures.

 Évaluez comment vous utilisez les notions suivantes. Révisez ensuite les aspects qui vous posent des difficultés.

JE SAIS UTILISER :	PEU	ASSEZ BIEN	BIEN	TRÈS BIEN
le présent (en général)				
le présent des verbes pronominaux				
le passé composé				
les participes passés				
les adverbes (leur position)				
les prépositions				

2. **Je sais** ou **je connais** ? Mettez une croix dans la bonne colonne.

Je sais	Je connais	
	✕	Rome.
		aller chez toi.
		qui est ta copine.
		la Belgique.
		la recette de la crème anglaise.
		l'adresse de Sophie.
		nager.
		Sabine.
		pourquoi il n'est pas venu.
		où est la boulangerie.

3. **A.** Professions et vêtements. Retrouvez le nom à partir de sa définition. Pour les professions, indiquez la forme masculine et féminine du mot (si elles sont différentes).

Des c...	:	on les met aux pieds pour marcher dans la rue.
Un b...	:	c'est une veste courte souvent en cuir.
Un c...	:	on le met sur la tête.
Un/e c...	:	il/elle s'occupe des comptes de l'entreprise.
Un/e c...	:	il/elle fait à manger dans un restaurant
Un m...	:	on le met en hiver pour sortir dans la rue.
Un/e m...	:	il/elle répare les véhicules.
Un p...	:	le blue-jean en est un.
Un s...	:	c'est un sous-vêtement masculin.
Un/e v...	:	il/elle est employé/e dans un magasin pour vendre
Un/e a...	:	il/elle représente et défend son client devant un tribunal
Un/e i...	:	il/elle programme les ordinateurs
Une j...	:	elle peut être mini, normale ou longue.

B. À votre tour, proposez la définition de deux autres pièces de vêtements et de deux autres professions.

4. Est-ce que tu as ces objets ?

> J'ai un appareil photo numérique. / Je n'ai pas d'appareil photo numérique.

	EST-CE QUE TU AS... ?	
J'ai un livre de français	livre de français	
	blouson en cuir	
	vélo tout terrain	
	lunettes de soleil	
	carte de crédit	
	voiture	
	dictionnaire français	
	chat	
	portable	
	ordinateur	

5. Choisissez la réponse qui convient.

1. Je suis fatigué. ❏ Il faut se reposer. ❏ Tu as besoin de repos.

2. On a une vie stressante. ❏ Il est nécessaire de ralentir le rythme. ❏ Tu as besoin de ralentir le rythme.

3. Il est très énervé. ❏ Il faut se calmer. ❏ Il a besoin de se calmer.

4. On mange trop de sucreries. ❏ Il faut faire attention aux caries. ❏ Tu as besoin d'aller chez le dentiste.

5. On a trop mangé cet été. ❏ Il faut faire un régime. ❏ Nous avons besoin de faire un régime.

6. Complétez les phrases.

1. Est-ce que vous .... le livre de français ? Non, nous ne l'avons pas acheté.
2. Est-ce que tu as le dernier CD de Bénabar ? Non, je ne .... pas.
3. Est-ce que tu .... à Sandrine ? Non, je ne lui ai pas téléphoné.
4. Est-ce que ton frère prend le bus pour aller à la fac ? Oui, il .... près d'ici.
5. Est-ce que vous regardez la télé tous les soirs ? Non, nous ne .... pas souvent.
6. Est-ce que vous êtes restés tard chez les Renaud ? Oui, nous ....
   jusqu'à l'aube.

7. Utilisez l'adjectif démonstratif qui convient et répondez à la question comme dans l'exemple.

Je prends ⊡ce⊡ pull gris ou ⊡ce⊡ pull marron ? ⊡Prends celui-ci.⊡

1. Je m'achète .... chaussures vertes ou .... chaussures bleues ?
2. Je fais .... exercice de verbes ou .... exercice de pronoms ?
3. Nous jouons avec .... cartes-ci ou .... cartes-là ?
4. Monsieur, nous prenons .... ligne-ci ou .... ligne-là ?
5. J'utilise .... téléphone-ci ou .... téléphone-là ?
6. Pour jouer au Seigneur des Anneaux, je joue avec .... dés-ci ou .... dés-là ?

Réfléchissez sur ce que vous avez fait dans les unités 4, 5 et 6. Les sujets que vous avez travaillés et les activités que vous avez faites de manière correcte.

JE SAIS UTILISER :	PEU	ASSEZ BIEN	BIEN	TRÈS BIEN
le lexique des professions				
le lexique des vêtements				
j'ai un, une, des/ je n'ai pas de, d'				
il faut / il est nécessaire / avoir besoin				
les adjectifs et les pronoms démonstratifs (**ce, cette**, etc. ; **celui-ci**, etc.)				
les pronoms compléments (**le, la, l', les, lui, leur**)				
la question **est-ce que**				
l'impératif				

BILAN AUTO-ÉVALUATION

MAINTENANT JE SAIS...	PEU	ASSEZ BIEN	BIEN	TRÈS BIEN
parler de mes habitudes quotidiennes et leur influence sur ma santé				
donner des conseils, faire des suggestions et des recommandations				
parler de mon parcours de vie : ma formation et mes expériences				
évaluer des qualités, des aptitudes et des compétences				
exprimer et confronter mes opinions				
décrire des objets				
faire des courses				

Unité 7
SALÉ OU SUCRÉ ?

1. Complétez cette liste de courses avec les indicateurs de poids et mesures suivants.

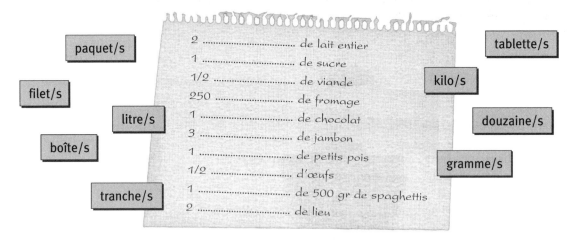

paquet/s tablette/s filet/s kilo/s litre/s douzaine/s boîte/s gramme/s tranche/s

2 .... de lait entier
1 .... de sucre
1/2 .... de viande
250 .... de fromage
1 .... de chocolat
3 .... de jambon
1 .... de petits pois
1/2 .... d'œufs
1 .... de 500 gr de spaghettis
2 .... de lieu

2. **A.** Voilà une série de produits alimentaires. Est-ce que vous pouvez indiquer dans quel rayon (les supermarchés sont divisés en rayons) vous allez trouver les aliments suivants ?

du saucisson, du lait, de la bière, des moules, du riz, des pommes de terre, des oignons, des cuisses de poulet, une laitue, du roquefort, de la confiture, des yaourts natures, du jus de fruit, des pommes, de la crème fraîche, de l'eau minérale, du jambon, du fromage de chèvre, des pâtes.

Rayon CHARCUTERIE

Rayon FARINES ET CÉRÉALES

Rayon BOUCHERIE

Rayon PRODUITS FRAIS

Rayon CRÉMERIE

Rayon BOISSONS

Rayon CONFISERIE-SUCRES

Rayon FRUITS ET LÉGUMES

Rayon POISSONNERIE

B. À vous maintenant d'ajouter deux produits dans chaque rayon.

3. La station thermale Les Thermes d'Ax propose un programme minceur : les clients peuvent perdre 6 kilos en 3 jours mais de façon saine. Est-ce que vous pouvez élaborer un menu pour cette période ?

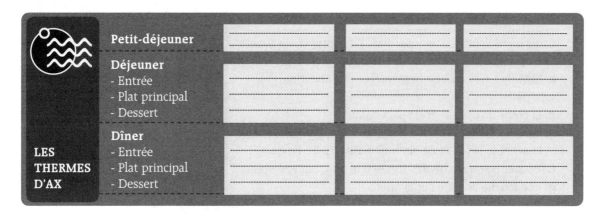

Petit-déjeuner	....	....	....
Déjeuner - Entrée - Plat principal - Dessert	....	....	....
Dîner - Entrée - Plat principal - Dessert	....	....	....

LES THERMES D'AX

4. À l'aide des dessins, retrouvez les ustensiles de cuisine suivants.

C ....
F ....
P ....
M ....
A ....
C ....
V ....
C ....
F ....

5. C'est bientôt l'anniversaire d'un de vos meilleurs amis et vous avez décidé d'organiser une fête pour l'occasion qui réunira une dizaine de personnes. Voici la liste des choses à acheter : certaines quantités vous semblent raisonnables, mais il y en a qui sont insuffisantes et d'autres qui vous semblent vraiment exagérées. Utilisez les adverbes de quantité que vous connaissez pour les commenter (**pas de**, **(un) peu de**, **beaucoup de**, **trop**, **pas assez**, **plus**, **moins**, **quelques**...).

Dans cette recette, il y a trop de...
Sur cette liste, il y a trop de...

Pour la fête il faut acheter:
- 30 bouteilles de coca
- 4 paquets de chips
- 10 bouteilles de jus de fruit
- un gâteau d'anniversaire
- 2 boîtes de biscuits d'apéritif

+ les ingrédients pour la salade de fruits:
- 100 g de fraises
- 2 kg d'oranges
- 1 kiwi
- 300 g de raisins secs

6. Pour bien réussir les crêpes bretonnes, mettez les éléments de la colonne **A** (qui sont déjà dans l'ordre) avec ceux de la colonne **B** (dans le désordre).

A	B	Ordre des opérations
1. Mélangez	**a.** les ingrédients (sucre, chocolat…) de votre choix avant de plier la crêpe et de la servir bien chaude.	
2. Laissez	**b.** la *billig** avec du beurre et mettez-la à chauffer.	
3. Graissez	**c.** la pâte.	
4. Versez	**d.** la crêpe quand elle n'est plus liquide.	
5. Étalez	**e.** les deux farines avec les œufs, le sucre, le beurre fondu, le sel et le lait jusqu'à obtention d'une pâte fluide.	
6. Retournez	**f.** reposer quelques heures (toute une nuit, par exemple).	
7. Ajoutez	**g.** une louche de pâte sur la *billig*.	

* Une billig *est une poêle spéciale pour les crêpes. Vous pouvez bien entendu utiliser une poêle normale.*

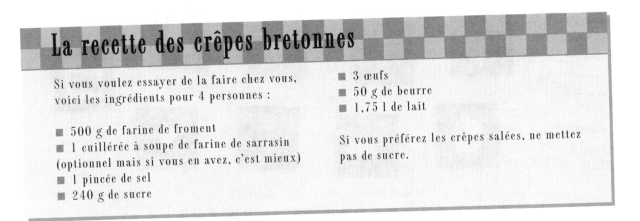

La recette des crêpes bretonnes

Si vous voulez essayer de la faire chez vous, voici les ingrédients pour 4 personnes :

- 500 g de farine de froment
- 1 cuillérée à soupe de farine de sarrasin (optionnel mais si vous en avez, c'est mieux)
- 1 pincée de sel
- 240 g de sucre

- 3 œufs
- 50 g de beurre
- 1,75 l de lait

Si vous préférez les crêpes salées, ne mettez pas de sucre.

7. Pour bien réussir cette recette, voici les différentes étapes à suivre. Placez les mots **enfin**, **puis**, **après**, **avant de**, **d'abord**, **ensuite** dans les instructions suivantes.

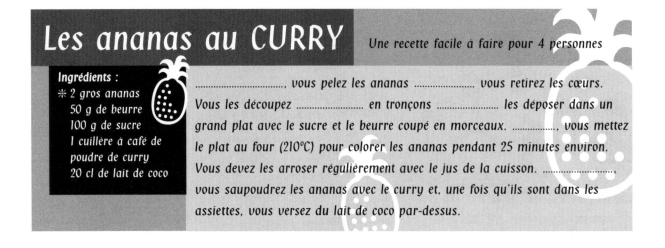

Les ananas au CURRY
Une recette facile à faire pour 4 personnes

Ingrédients :
- ✳ 2 gros ananas
- 50 g de beurre
- 100 g de sucre
- 1 cuillère à café de poudre de curry
- 20 cl de lait de coco

……………………, vous pelez les ananas …………………… vous retirez les cœurs. Vous les découpez …………………… en tronçons …………………… les déposer dans un grand plat avec le sucre et le beurre coupé en morceaux. ……………, vous mettez le plat au four (210°C) pour colorer les ananas pendant 25 minutes environ. Vous devez les arroser régulièrement avec le jus de la cuisson. …………………, vous saupoudrez les ananas avec le curry et, une fois qu'ils sont dans les assiettes, vous versez du lait de coco par-dessus.

8. **A.** Retrouvez les différents repas cités dans le texte et complétez le tableau.

En France, les repas sont le petit-déjeuner, le déjeuner, le goûter et le dîner. En général, on prend le petit-déjeuner entre 6 h 30 et 8 h 30 ; on déjeune entre midi (12 h) et 13 h ; on goûte vers 16 h et on dîne entre 19 h et 20 h 30. Dans beaucoup de régions de France et dans de nombreux pays francophones (Belgique, Suisse, etc.), c'est un peu différent : on dit qu'on dîne le midi et qu'on soupe le soir.

Horaires	Repas en France	Repas dans d'autres pays francophones (la Suisse et la Belgique, entre autres)
6 h 30 – 8 h 30		
Midi (12 h) – 13 h		Dîner
16 h		
19 h – 20 h 30		Souper

B. Comparez ces horaires et ces repas avec ceux de votre pays : est-ce que les habitudes sont les mêmes ?

C. À votre tour, écrivez un petit texte pour décrire ce que vous avez mangé hier. Puisque certains noms de plats n'ont pas de traduction, vous pouvez conserver le nom dans votre langue et faire une petite description des ingrédients.

Hier, comme petit-déjeuner, j'ai mangé ....
....
....
....

9. Écoutez comment un chef vous explique la recette du poulet à la basquaise : retrouvez dans la liste suivante les ingrédients et indiquez les quantités.

.... tomates   .... crème fraîche
.... pommes de terre .... poivrons
.... poireaux   .... gousses d'ail
.... cuillères à café d'épices .... de beurre
.... verre de vin rouge .... poulet fermier
.... oignons   .... carottes
.... verre de vin blanc sec .... cuillères à soupe d'huile d'olive

farine, sel, poivre.

10. Vous venez d'aller faire les courses pour un ami malade. Maintenant vous les rangez dans sa cuisine. Complétez les phrases avec les pronoms qui conviennent (**le, la, l', les, en**).

- ● Tu ranges où le pot de confiture ?
- ○ Tu peux le mettre dans le placard.
- ● Et le fromage ?
- ○ Eh bien, tu .... ranges dans le frigo !
- ● D'accord, je .... mets dans le bac à légumes. Et la sauce tomate,

  tu .... mets aussi dans le frigo ?
- ○ Non, on va faire des pâtes pour manger. Tu peux même déjà .... ouvrir.
- ● Ah oui, et les tomates ?
- ○ Tu .... laisses dehors. Comme ça on fera une salade. Tu as bien pris

  les olives et les concombres.
- ● Zut, les olives ! Je crois que je .... ai oubliées. Mais les concombres, je .... ai

  mis dans le petit sachet, là-bas. J'ai aussi acheté du jus de fruit. Tu en bois, j'espère.
- ○ Oui, de temps en temps. Et tu as pensé à acheter de la crème fraîche ?
- ● Oui, j'............ ai acheté.
- ○ Et des yaourts aussi ?
- ● Je crois que j'............ ai, c'est parfait. Mais je veux aussi

  des crèmes à la vanille.
- ○ Je sais mais il n'y .... a plus au supermarché.
- ● Eh bien tant pis !

11. Deux amies se retrouvent à l'heure du café. Voici leur conversation, qui est pleine de doutes. Entourez le mot juste en fonction du pronom utilisé.

- ■ Tu prends **une tisane** / **un café** / **le thé** ?
- ❏ J'en veux bien un.
- ■ Tu peux sortir **les tasses** / **le lait** / **du sucre** ?
- ❏ Bien sûr. Tu les ranges où ?
- ■ Elles sont dans le placard. Ah ! Et **la saccharine** /

  le sucre est dans le petit meuble à côté.
- ❏ Je ne le vois pas.
- ■ Mais si, juste à côté de la confiture.
- ❏ D'accord, c'est bon.
- ■ Tu prends **du lait** / **de la confiture** / **le lait** avec ?
- ❏ J'en prends une goutte. Merci.
- ■ Tu veux **des pralines** / **les pralines** avec ?
- ❏ J'en mangerais volontiers...

LES SONS [S] ET [Z]

En français, la différence entre [s] et [z] est importante. Il ne faut pas confondre **le désert** et le **dessert** ni **le poisson** et **le poison** !

12. **A.** Pour bien prononcer le [s], imitez un serpent. Écoutez et répétez cette phrase : **Lucile sort sans son sac**.

 B. Écoutez et mettez une croix quand vous entendez le son [s].

1 ☐   4 ☐

2 ☐   5 ☐

3 ☐   6 ☐

Rappel ! En règle générale, le **s** en fin de mot ne se prononce pas. Il y a bien sûr des exceptions. Ce sont souvent des mots empruntés à d'autres langues comme **couscous**.

 13. **A.** Pour bien prononcer le [z], imitez la mouche. Écoutez et répétez cette phrase.

Isabelle et Lise adorent Zidane.

 B. Écoutez et mettez une croix quand vous entendez le son [z].

1 ☐   4 ☐

2 ☐   5 ☐

3 ☐   6 ☐

Le [z] apparaît dans les liaisons (voir Unité 6) : **1)** entre les articles **des**/**les** et le nom quand celui-ci commence par une voyelle, comme **des enfants / les animaux** ; **2)** entre un sujet pluriel et un verbe qui commence par une voyelle, par exemple, **Ils habitent à Lyon, Elles aiment le chocolat**.

14. Indiquez s'il y a liaison ou pas entre les éléments de phrases suivantes, puis écoutez l'enregistrement pour vérifier vos réponses.

		Je fais la liaison [z]	Je ne fais pas la liaison [z]
1.	Ils adorent les gâteaux.		
2.	Ses copines aiment le chocolat.		
3.	Les enfants mangent trop de sucreries.		
4.	Elles ont mal dormi.		
5.	Les gâteaux salés ont été mangés.		
6.	Elles ont mangé tous les gâteaux.		
7.	Ils enlèvent la peau des fruits.		
8.	Les parents de Sylvain sont partis mardi.		
9.	Les amis de Marion habitent Bruxelles.		
10.	Elles arrivent à 18 heures.		
11.	Les aubergines farcies, c'est bon !		
12.	Ils écoutent du rap.		

Remarque : cette liaison est la seule possibilité de distinguer **à l'oral** la forme du **singulier** de celle du **pluriel** (**elle aime / elles aiment**), mais elle ne se fait pas si à la place d'un pronom sujet, nous avons un sujet (**le chat aime le lait / les chats aiment le lait**).

ORTHOGRAPHE

♦ Quand vous identifiez un **[s]**, voici les orthographes possibles.

s (devant n'importe quelle lettre) au début d'un mot : **sauce, sel, sucre...**
s au milieu d'un mot (entre une consonne et une voyelle) : **ensuite, considérer...**
c (devant **e** ou **i**) au début ou au milieu d'un mot : **céréale, ce, cinéma, recette, commencer...**
ç (devant **a, o** ou **u**) : **ça, garçon, reçu...**
ss (entre deux voyelles) : de**ss**ert, ca**ss**oulet, poi**ss**on...

♦ Quand vous identifiez un **[z]**, voici les orthographes possibles.

z au début d'un mot : **zèbre, zéro, zéphire, zapper...** (il n'y a pas d'exception !)
s entre deux voyelles : **noisette, cerise, raisin...**

15. À présent, rétablissez l'orthographe du texte suivant et indiquez les liaisons qui provoquent le son [z].

La cui....ine françai....e n'exi....te pas

Depuis de*s* années, on nous explique que la cui....ine fran....ai....e est unique au monde mais ....i vous êtes déjà allé en Fran....e, vous avez ....ertainement remarqué la différen....e qu'il y a entre la ga....tronomie fran....ai....e des livres de cui....ine et la réalité de votre a....iette chez vos amis.
La nouvelle cui....ine comme on l'appelle, on la trouve dans les re....taurants qui décorent les a....iettes avec des petites tomates et des morceaux de ....alade qu'on ne doit ....urtout pas manger ! Le re....te de l'a....iette, vous devez le chercher au micro....cope ou ....ous la couche de ....au....e qui di....imule un petit mor....eau de viande
Dans les familles, ...'est différent. On mange des plats très variés même ....i le poulet-frites ....'est installé dans les habitudes de nombreu....es familles. ....es plats changent en fonction de la région. Et puis beaucoup ont adopté des re....ettes venues de l'immigration comme le cou....cou...., la paella ou les chiches-kebabs.

Vos stratégies pour mieux apprendre

16. **A.** Voici quelques gestes typiques que font les Français. Est-ce que vous pouvez les identifier ?

1. Mon œil !
2. Passer sous le nez.
3. Avoir un verre dans le nez.
4. Ferme-la (vulgaire).
5. La barbe ! / C'est rasoir !

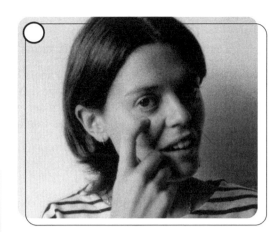

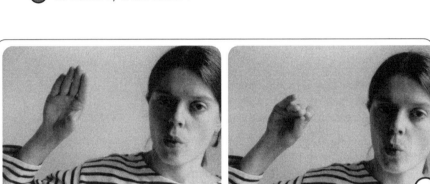

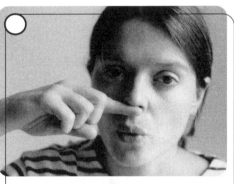

STRATÉGIE

Pour comprendre une conversation, il n'y a pas que les mots : les gestes aussi sont importants. Vous avez pu voir que dans cette activité, la position des mains exprime des idées très précises. Ces gestes qu'on utilise en français ne signifient pas toujours la même chose d'une culture à l'autre.

B. Est-ce que vous avez les mêmes gestes dans votre culture ? Est-ce qu'ils ont la même signification ? Est-ce que vous en connaissez d'autres en français ?

LE DELF A2. COMPRÉHENSION DES ÉCRITS

17. **A.** Lisez le document ci-dessous.

Les jeunes et la bouffe ; réunis autour d'une table, ils nous ont donné leur avis.

Rachid, 17 ans : « Moi, ce que j'adore, ce sont les plats que me prépare ma grand-mère. C'est très différent des choses qu'on mange habituellement en France. Elle fait des tajines et puis son cous-cous est excellent. J'aime bien ce qui est épicé. De temps en temps, je vais dans les fast-foods avec mes copains, mais je n'aime pas trop ça. »

Amandine, 16 ans : « J'ai beaucoup de mal à manger des légumes verts. Ma mère m'oblige des fois à manger des épinards. C'est vraiment pas bon. De toute façon, mon truc à moi, c'est grignoter. Je déteste m'asseoir à table ! »

Giulia, 17 ans : « Moi, c'est un peu comme Amandine. Souvent, je prends un paquet de chips et je m'installe devant la télé. Mes parents supportent vraiment pas ça. À mon avis, ils n'ont pas tort mais je m'ennuie quand je mange avec eux. Et puis, je ne mets jamais les pieds dans la cuisine. »

Cyrille, 18 ans : « Je suis d'accord avec les filles mais j'apprécie aussi les bons petits plats que ma grand-mère cuisine. Quand on se retrouve le week-end chez les amis, j'essaie de préparer des recettes. Je sais que certains trouvent ça ridicule mais j'aime bien cuisiner de temps en temps. J'adore faire les sauces. »

Gilles, 17 ans : « Cyrille a raison. Les boîtes de conserve, je n'aime pas du tout ça. Par contre, il faut avoir le temps de cuisiner. Chez moi, c'est toujours ma mère qui le fait. Mon père ne fait jamais rien. Moi, j'aimerais bien savoir faire autre chose que des pâtes : les spaghettis à la carbonara, c'est ma recette favorite quand on va en camping avec les copains. »

Fatiha, 18 ans : « Je déteste faire la cuisine. Heureusement, il y a les copains. Ma mère trouve ça bizarre : c'est toujours elle qui a fait à manger et maintenant elle voit que ce sont les hommes qui cuisinent. Mes amis sont d'excellents cuisiniers. Ils préparent des plats de viande ou de poisson délicieux. Dommage qu'ils mettent trop de sauce ! »

Géraldine, 18 ans : « Tout le monde parle de plats salés ici ! Moi, mon truc, c'est les pâtisseries. J'adore ça ! Les gâteaux au chocolat sont mes desserts préférés. J'en fais de temps en temps. Par contre, il faut faire attention à la ligne ! Je fais donc du sport et je mange aussi des fruits. Mais qu'on ne m'oblige pas à manger de la viande. Je déteste ça ! »

B. Cochez la case correspondant selon ce que chaque personnage aime ou pas cuisiner.

	Il/Elle aime cuisiner	Il/Elle n'aime pas cuisiner	On ne sait pas
Rachid			
Amandine			
Giulia			
Cyrille			
Gilles			
Fatiha			
Géraldine			

0,5 point par réponse correcte : .... / 3,5
Maximum 7 croix (-0,5 point par croix supplémentaire)

C. Retrouvez dans le texte des expressions ou des mots...

a) Équivalents de :

L'alimentation : ....

Pimenté : ....

Manger en petite quantité et en dehors des repas :

....

b) Contraires de :

Ils ont raison : ....

....

Je m'amuse : ....

Malheureusement : ....

0,5 point par réponse correcte : .... / 3

D. À qui correspond chacune de ces affirmations ? Indiquez dans la colonne de droite le nom de la personne.

Il/Elle aime les plats de sa grand-mère et parfois il/elle cuisine.
Il/Elle aime manger ce que préparent ses ami(e)s.
Il/Elle mange à n'importe quelle heure.
Il/Elle ne va pas souvent manger des hamburgers.
Il/Elle cuisine quand il/elle part en vacances.
Il/Elle préfère le sucré au salé.
Ses parents n'aiment pas sa façon de manger.

0,5 point par réponse correcte : .... / 3,5

Total : .... / 10

18. Indiquez dans la case de chaque situation le chiffre de l'indication qui y est associée.

❶ À consommer de préférence avant le 12/05/06.
❷ Ne pas laisser à la portée des enfants.
❸ À conserver au frais.
❹ Ne pas jeter sur la voie publique.
❺ À consommer avec modération.
❻ Commandez au comptoir.
❼ Ne pas mettre au four micro-ondes.
❽ Ne peut être vendu séparément.

a. Vous avez ouvert un litre de lait.

b. Vous voulez acheter un pot de yaourt d'un lot de 12.

c. Vous cherchez la date d'expiration d'une boîte de conserve.

d. Vous ne comprenez pas pourquoi le serveur ne vient pas prendre la commande.

LE DELF A2. PRODUCTION ORALE

Vous allez interpréter une scène comprenant certains éléments de négociation (**exercice en interaction**). Vous avez une petite préparation et vous allez jouer la scène avec l'examinateur. Dans la consigne, vous allez trouver des informations qui doivent vous guider dans la préparation de cette scène. Vous devez montrer votre capacité à mener un bref échange dans une situation de demande de service (vous voulez réserver un billet d'avion, acheter une entrée pour le théâtre, commander un plat...). Dans le niveau A2, on ne va pas vous demander de résoudre une situation complexe.

19. Exercice en interaction. Vous allez au restaurant. Le serveur (normalement, l'examinateur) prend la commande. Attention, vous n'aimez pas la viande. Vous aimez les jus de fruit et ne prenez jamais de café.

Tomates persillées
Assiette de charcuterie
Salade d'asperges

Filet de porc pané
Blanc de poulet aux artichauts
Rougets en papillotte
Filet de saumon
Tous nos plats sont accompagnés de frites ou de haricots verts

Unité 8
EN TRAIN OU EN AVION ?

1. **A.** Observez le contenu de cette valise. Reconnaissez-vous ces objets ? Quels sont-ils ?
Cochez la case correspondante.

- ❏ un plan de la ville
- ❏ un agenda
- ❏ des clés
- ❏ un porte-clés
- ❏ un tube de crème
- ❏ un calendrier
- ❏ des lunettes de soleil
- ❏ une carte routière
- ❏ un bloc-notes
- ❏ un téléphone portable
- ❏ des cartes de visite

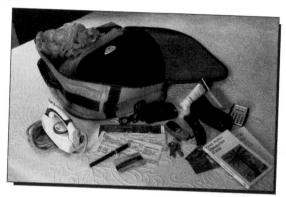

- ❏ un stylo
- ❏ un livre
- ❏ un passeport
- ❏ des cartes de crédit
- ❏ une calculatrice
- ❏ des billets d'avion
- ❏ un bottin téléphonique
- ❏ un appareil photo
- ❏ un fer à repasser
- ❏ des billets de banque

B. Regardez la liste ci-dessus et écrivez de quoi vous avez eu besoin pendant vos
dernières vacances et pourquoi.

....

....

....

....

2. **A.** Regardez cet agenda. Imaginez qu'aujourd'hui nous sommes le 17 juin et qu'il est 18 h.
Qu'a fait Amélie ou que va-t-elle faire cette semaine ?

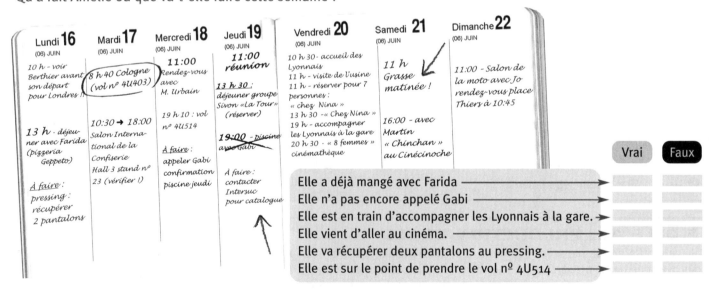

	Vrai	Faux
Elle a déjà mangé avec Farida		
Elle n'a pas encore appelé Gabi		
Elle est en train d'accompagner les Lyonnais à la gare.		
Elle vient d'aller au cinéma.		
Elle va récupérer deux pantalons au pressing.		
Elle est sur le point de prendre le vol n° 4U514		

B. À vous maintenant d'écrire trois choses qu'Amélie a déjà faites, le 19 juin à 21 h, et
trois choses qu'elle n'a pas encore faites.

Elle vient de...	Elle va...
Elle a/est déjà...	Elle est sur le point de ...

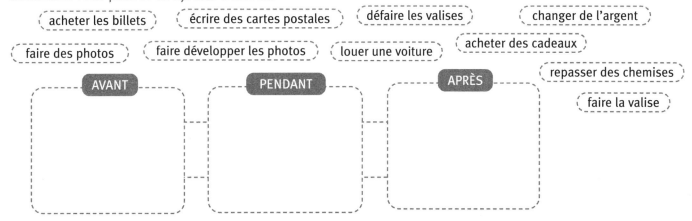

3. **A.** Que fait-on normalement avant, pendant et après un voyage ? Ordonnez les activités suivantes. Vous pouvez en ajouter d'autres.

acheter les billets   écrire des cartes postales   défaire les valises   changer de l'argent

faire des photos   faire développer les photos   louer une voiture   acheter des cadeaux

repasser des chemises

faire la valise

AVANT	PENDANT	APRÈS

B. Imaginez que demain matin vous partez en France. Qu'allez-vous faire ?

Je vais....

 4. Vous avez les horaires des trains Paris-Lyon, mais quand vous téléphonez à la S.N.C.F. (Société Nationale des Chemins de Fer) pour demander confirmation de ces renseignements, un répondeur vous informe de changements dans les horaires. Quelles sont les modifications ?

Vos horaires :

PARIS	LYON
06 h 17	8 h 13 (1)
10 h 17	12 h 05
14 h 17	16 h 06
16 h 23	18 h 01 (1)
20 h 17	22 h 10 (2)

(1) Ces trains ne circulent pas le 25/12 et le 1/1
(2) Ce train circule tous les jours sauf le dimanche

Remplissez ces nouveaux horaires :

PARIS	LYON

(1) Ces trains ne circulent pas le 25/12 et le 1/1
(2) Ce train circule tous les jours sauf le dimanche

 5. Regardez les horaires de ces établissements. Écoutez les conversations et dites s'ils seront ouverts quand ces personnes vont y aller.

LA MOUETTE

Spécialité de fruits de mer
12-16 h et 19 h 30-24 h
(fermé le lundi soir et le mardi)

MIKIS

Jazz en direct tous les soirs jusqu'à 4 h du matin

MIKIS

LES GALERIES DU PRINTEMPS

LIQUIDATION TOTALE pour fin de saison.

Ouvertes dimanche prochain !

Venez profiter de nos soldes de 9 h à 21 h tous les jours.

1. Ce sera ouvert ? ○ OUI ○ NON

2. Ce sera ouvert ?
○ OUI ○ NON

3. Ce sera ouvert ? ○ OUI ○ NON

6. Remettez dans l'ordre les indicateurs temporels en partant d'aujourd'hui.

dans trois ans —○   mardi prochain —○   après-demain—○
le mois prochain —○   dimanche —○   demain —○
le 24 avril —○   le 25 novembre —○   en mars 2012 —○

7. La chanteuse Cécile Pion a un agenda très chargé. Sa secrétaire est malade et la chanteuse ne comprend pas bien ses notes. Pouvez-vous l'aider ? Écrivez où et quand elle va chanter.

N.Y. jeu-2-déc.
Paris 13 et 15 juil.
Milan mar-30-sept.
Sidney 1 et 2 sept.
Barcelone 15-20 juil.
Venise 3-oct.
Rome ven-2-oct.
L.A. 22-nov.

> Elle va chanter à New York le jeudi 2 décembre

8. À quelle heure ? Répondez par des phrases comme dans l'exemple.

À quelle heure vous levez-vous normalement ?   *Je me lève à 7 heures.*
Et le week-end ? ....
À quelle heure prenez-vous votre petit-déjeuner ? Vous vous habillez avant ou après le petit déjeuner ?
....
À quelle heure commencez-vous à travailler ou à étudier ? ....
À quelle heure sortez-vous du travail ou de l'école ? ....
À quelle heure avez-vous votre cours de français ? ....
À quelle heure commence votre émission préférée à la télé ? ....
À quelle heure les pharmacies ouvrent-elles dans votre pays ? ....
À quelle heure dînez-vous ? ....
Lisez-vous avant de dormir ? Jusqu'à quelle heure ? ....
Écoutez-vous la radio ? Quand ? ....
Regardez-vous beaucoup la télévision ? Combien d'heures par jour ? ....
À quelle heure vous couchez-vous ? ....

9. Jérémie Barnabé est un homme très méthodique. Il fait tous les jours la même chose. Donnez un ordre chronologiquement à toutes ses activités.

○ Il se couche à vingt-trois heures.
○ Il commence à travailler à neuf heures.
① Il se lève à sept heures et demie.
○ Avant de prendre son petit-déjeuner, il fait un quart d'heure de gymnastique.
○ Après avoir fait ses exercices d'allemand, il regarde les informations à la télévision.
○ À dix heures et demie, il fait une pause café au bureau.
○ Avant de se coucher, il écrit deux ou trois pages dans son journal intime.
○ Après le dîner, il étudie un peu son allemand.
○ Il mange avec un collègue de travail à midi et demie.

○ Avant de dîner, il navigue un petit moment sur Internet.
○ Il dîne à vingt heures.
○ Après le déjeuner, il joue une partie d'échecs contre son ordinateur.
○ À dix-neuf heures trente, il prend le métro pour rentrer à la maison.
○ Il sort du travail à dix-huit heures quarante-cinq.
○ À vingt et une heures trente, il téléphone à sa mère.
○ L'après-midi, il va passer un moment à la bibliothèque municipale et il y consulte des livres jusqu'à dix-neuf heures vingt.

10. **A.** Vous travaillez dans une agence qui propose ces voyages pour le mois de novembre. Vos clients vous expliquent leurs goûts et leurs préférences. Quel voyage leur conseillez-vous ? Il y a plusieurs possibilités. Écrivez-leur un courriel en justifiant votre choix.

Destination	Voyage	Durée	Sortie	Transport	Prix	Logement
LES PHILIPPINES		14 jours	Les 12 et 19 novembre	Avion et autocar	1750 €	Hôtels ★★★★
LE NÉPAL		17 jours	Le 13 novembre	Avion et voiture	1880 €	Hôtels ★ et tentes
BARCELONE ET PORT AVENTURA		6 jours	Les 2 et 6 novembre	Avion et autocar	480 €	Hôtels ★★
LE KENYA MINISAFARI		8 jours	Tous les mercredis	Avion et 4x4	1560 €	Hôtels ★★★★
LE GUATEMALA		16 jours	Les 5, 19 et 26 novembre	Avion et 4x4	2190 €	Tentes et bungalows
LA MARTINIQUE		15 jours	Tous les jours	Avion et bateau	990€	Hôtels ★★★ et bungalows

a **Lucas Pernoud :** Ma femme et moi, nous commençons nos vacances le 4 novembre et nous avons 18 jours de congés. Cette année, nous voulons éviter l'Europe et partir plutôt en Afrique ou en Amérique latine... Nous sommes très intéressés par l'histoire et la culture. Nous adorons aussi faire des randonnées, du camping et le contact avec la nature.

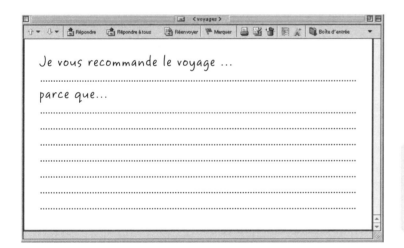

Je vous recommande le voyage ...
....
parce que...
....
....
....
....
....
....
....

b **Lætitia Créchon :** Nous sommes trois collègues de travail, trois copines. Nous aimons les vacances tranquilles : nous reposer dans un bon hôtel, faire occasionnellement un peu de sport... Nous voulons du soleil et la plage. Et nous ne voulons pas dépenser plus de 1200 euros par personne.

c **Yannick Bunco :** Nous sommes deux couples avec trois enfants. Évidemment il faut nous trouver un voyage pour tout ce petit monde : quelque chose pour les petits et quelque chose pour les grands. Nous voulons prendre une semaine, plus précisément la première semaine de novembre.

d **Marine Bertrand :** Nous sommes un groupe de copains et nous voudrions partir deux semaines environ. Nos vacances commencent le 9 novembre. Nous aimerions aller dans un endroit différent, dans un lieu spécial et être dans un bon hôtel, bien confortable. Nous avons tous déjà un certain âge et nous ne voulons pas entendre parler d'aventure. Bon, vous voyez ce qu'on cherche !

B. Il vous reste peut-être quelques doutes pour pouvoir leur conseiller le voyage idéal. Posez des questions pour être sûr(e) de leurs goûts en utilisant **où**, **quand**, **combien**, **comment**, **pourquoi**, etc.

11. **A.** Regardez ces publicités d'hôtels.

Hôtel Palace ★ ★ ★ ★

- Solarium et piscine
- Massages
- Situé dans le centre ville, à côté de la plage
- Hôtel de luxe idéal pour les vacances ou pour un voyage d'affaires
- 100 chambres et 10 suites avec vue sur la mer
- Air conditionné dans toutes les chambres

Hôtel Raymond ★ ★

- Prix économiques
- Chambres avec salle d'eau
- Dans le vieux quartier (en plein centre ville), très animé.

Hôtel du Moulin ★ ★ ★ ★

- A cinq minutes de l'aéroport et à côté des parcs d'expositions.
- Terrains de golf et de tennis.
- Tous les services nécessaires pour les voyages d'affaires
- Très bien desservi (train et autobus)
- Trois restaurants : cuisine internationale, cuisine régionale typique et barbecue sur notre terrasse.

B. Lequel des trois recommandez-vous et pourquoi ?

- Si vous voulez un hôtel de luxe,

  > vous pouvez séjourner à l' Hôtel Palace.

- Si vous aimez beaucoup faire du sport pendant vos voyages :
  ....

- Si vous voulez avoir une vue sur la mer :
  ....

- Si vous aimez sortir la nuit :
  ....

- Si vous ne voulez pas beaucoup dépenser :
  ....

- Si la bonne cuisine vous intéresse :
  ....

- Si vous aimez nager :
  ....

- Si vous ne voulez pas être dans le centre ville :
  ....

- Si vous voulez avoir une très grande chambre :
  ....

- Si c'est un voyage d'affaires, avec déplacement en avion, et que vous devez aller travailler dans une foire :
  ....

- Si vous ne voulez pas avoir chaud :
  ....

12. Complétez ce sondage avec les adjectifs interrogatifs (**quel**, **quelle**, **quels**, **quelles**) qui conviennent.

- Bonjour, est-ce que je peux vous poser quelques questions sur vos habitudes pendant les vacances ? C'est pour une revue.
- ○ .... revue ?
- Le mensuel *Marco Polo*.
- ○ Oui, bien sûr !
- Alors... habituellement, ... est pour vous la formule idéale de vacances ?
- ○ J'aime bien partir à l'étranger.
- .... sont les pays que vous avez visités dernièrement ?
- ○ L'été dernier, je suis allé en Russie et, à Noël, en Turquie.

- .... type de transport vous utilisez pour voyager ?
- ○ Pour arriver sur place, l'avion en général.
- .... genre de logement choisissez-vous de préférence ?
- ○ Si je ne connais personne, un hôtel. Mais je préfère aller chez des amis.
- .... sont vos prochaines destinations ?
- ○ Je ne suis pas encore très sûr. Peut-être les pays baltes.
- .... est votre budget ?
- ○ Je n'en ai pas vraiment. C'est variable.
- Très bien, monsieur. Je vous remercie. Au revoir.
- ○ Au revoir.

LES LIAISONS ET [ʃ] / [ʒ]

Les liaisons
Une liaison apparaît quand la consonne finale d'un mot est prononcée avec la voyelle initiale du mot qui suit.
Par exemple, dans **ils‿arrivent**, on prononce [za], où dans **quand‿il vient**, on prononce [ti].

13. **A.** Écoutez les phrases suivantes et marquez, en suivant l'exemple, où se trouvent les liaisons.

Les‿amis de Sandra sont très‿amusants.

Quand ils sont ensemble, ils rient beaucoup.

Marine a un petit ami qui s'appelle Francis.

Elles aiment danser la salsa.

Viennent-ils dîner ?

Dans une semaine, nous partons en vacances.

Pierre, c'est un ami génial !

Avant-hier, ils sont arrivés à minuit.

Ils arrivent toujours avant dix heures.

B. Que remarquez-vous ? Complétez le tableau suivant avec des exemples extraits du texte précédent.

La liaison est obligatoire dans les cas suivants :

c'est + un/une	adjectif + nom ....
déterminant + nom **les** amis **ces** **mes** ... . déterminant + adjectif **les** autres **ces** anciens/nes **mes** ...	adjectif + adverbe monosyllabique ....
	forme verbale inversée + pronom qui suit ....
	groupes figés comme **de plus en plus,** **de temps en temps** ....
pronom personnel + verbe	

Remarque : on ne fait jamais la liaison après **et** : Yann ~~et~~ Amélie.

C. À vous maintenant de lire les phrases suivantes. Soulignez d'abord les liaisons obligatoires pour ne pas vous tromper, puis vérifiez à l'aide de l'enregistrement.

1. Les États-Unis sont de plus en plus visités.
2. Alice a toujours des idées très intéressantes.
3. Ce soir, je vais dîner chez un excellent copain de Jackie.
4. Il est très apprécié par ses professeurs.
5. Prennent-ils le train ou l'avion ?
6. Pierre et Odile sont entrés avec la clé de Patrice.
7. Ils ont accepté de venir samedi après-midi.
8. Arrivent-ils à cinq heures ou à six heures ?

14. **A.** Vous allez entendre douze mots. Écoutez-les et indiquez si vous entendez le son [ʃ], comme dans **chien**, ou le son [ʒ], comme dans **jeune**.

	[ʃ] de chien	[ʒ] de jeune
1.		
2.		
3.		
4.		
5.		
6.		
7.		
8.		
9.		
10.		
11.		
12.		

B. Vous allez entendre six séries de deux mots. Écoutez-les et indiquez quel est le premier mot prononcé et quel est le deuxième.

1. ☐ joie ☐ choix
2. ☐ Jacques ☐ chaque
3. ☐ Roger ☐ rocher
4. ☐ bouche ☐ bouge
5. ☐ chou ☐ joue
6. ☐ j'ai ☐ chez

C. Nous allons maintenant voir comment s'écrivent ces deux sons.

Son	Graphie	Exemple
[ʃ]	ch ou sch	champagne ou schéma
	sh	shampoing
[ʒ]	j	je
	ge + a / ge + o / ge + u	mangeons / Georges / gageure
	g+e / g+i	genou / girafe

Vos stratégies pour mieux apprendre

15. Imaginez que vous êtes dans une agence de voyage. Avant de parler, vous devez préparer ce que vous allez dire. Adoptez le rôle du client ou de l'employé et décidez ce que vous allez dire et comment.

VOYAGES ≋ BEAUSOLEIL

10 jours à Ajaccio

Vol + hôtel **, *** et ****

Visitez la Corse et ses plages paradisiaques

Des prix incroyables !!!

Vous êtes LE CLIENT

Vous avez vu cette publicité dans un journal et vous allez à l'agence de voyages pour vous informer. Avant, vous décidez les dates de votre voyage et combien vous voulez dépenser.

Quand souhaitez-vous partir ?

Combien d'argent voulez-vous dépenser ?

Voyagez-vous seul ?

Vous êtes L'EMPLOYÉ/E de l'agence de voyages

Vous travaillez à l'agence Beausoleil et vous proposez toute l'année les voyages à destination d'Ajaccio mentionnés sur publicité. Un client vient se renseigner sur ce voyage. Avant de communiquer les informations, vous devez décider ce que vous allez lui proposer :

Quels sont les vols possibles vers Ajaccio depuis votre ville ?

Est-ce que pour certaines dates c'est complet ?

Combien coûte ce voyage ?

Combien coûte chaque catégorie d'hôtel par personne et par nuit ?

Est-ce qu'il y a des tarifs préférentiels pour les enfants, pour les groupes, etc. ?

STRATÉGIE

Dans ce type d'activités, c'est vous qui décidez ce que vous allez dire et comment, mais en même temps, vous devez prendre en compte ce que dit votre interlocuteur. Ne pensez-vous pas que c'est une bonne manière de reproduire une situation de communication authentique ?

UNITÉ 8 ■ DELF

LE DELF A2. COMPRÉHENSION DE L'ORAL

16. Écoutez deux fois chaque enregistrement et et répondez aux questions suivantes.

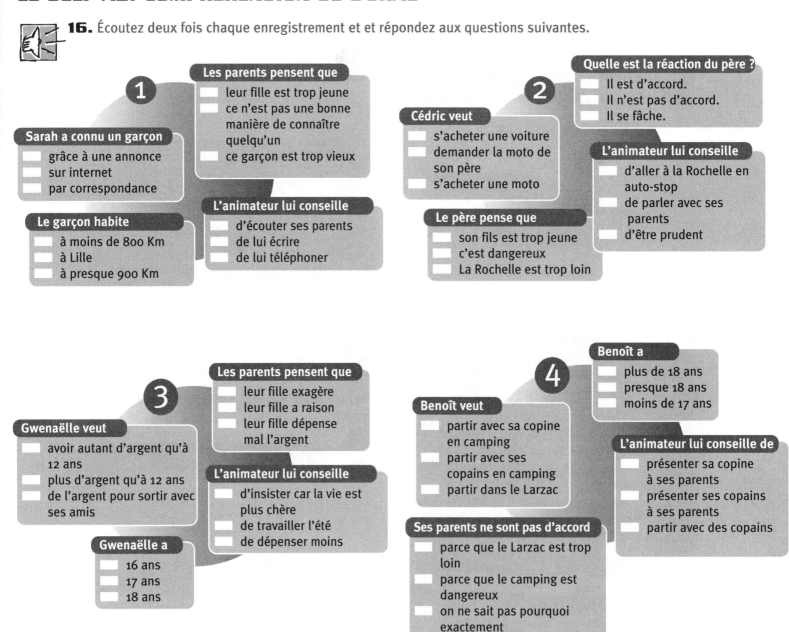

1

Sarah a connu un garçon
- [ ] grâce à une annonce
- [ ] sur internet
- [ ] par correspondance

Le garçon habite
- [ ] à moins de 800 Km
- [ ] à Lille
- [ ] à presque 900 Km

Les parents pensent que
- [ ] leur fille est trop jeune
- [ ] ce n'est pas une bonne manière de connaître quelqu'un
- [ ] ce garçon est trop vieux

L'animateur lui conseille
- [ ] d'écouter ses parents
- [ ] de lui écrire
- [ ] de lui téléphoner

2

Cédric veut
- [ ] s'acheter une voiture
- [ ] demander la moto de son père
- [ ] s'acheter une moto

Le père pense que
- [ ] son fils est trop jeune
- [ ] c'est dangereux
- [ ] La Rochelle est trop loin

Quelle est la réaction du père ?
- [ ] Il est d'accord.
- [ ] Il n'est pas d'accord.
- [ ] Il se fâche.

L'animateur lui conseille
- [ ] d'aller à la Rochelle en auto-stop
- [ ] de parler avec ses parents
- [ ] d'être prudent

3

Gwenaëlle veut
- [ ] avoir autant d'argent qu'à 12 ans
- [ ] plus d'argent qu'à 12 ans
- [ ] de l'argent pour sortir avec ses amis

Gwenaëlle a
- [ ] 16 ans
- [ ] 17 ans
- [ ] 18 ans

Les parents pensent que
- [ ] leur fille exagère
- [ ] leur fille a raison
- [ ] leur fille dépense mal l'argent

L'animateur lui conseille
- [ ] d'insister car la vie est plus chère
- [ ] de travailler l'été
- [ ] de dépenser moins

4

Benoît veut
- [ ] partir avec sa copine en camping
- [ ] partir avec ses copains en camping
- [ ] partir dans le Larzac

Ses parents ne sont pas d'accord
- [ ] parce que le Larzac est trop loin
- [ ] parce que le camping est dangereux
- [ ] on ne sait pas pourquoi exactement

Benoît a
- [ ] plus de 18 ans
- [ ] presque 18 ans
- [ ] moins de 17 ans

L'animateur lui conseille de
- [ ] présenter sa copine à ses parents
- [ ] présenter ses copains à ses parents
- [ ] partir avec des copains

PRODUCTION ÉCRITE : LA LETTRE DANS LE DELF A1 ET DANS LE DELF A2

Dans le DELF A1 et A2, on peut vous demander d'écrire à un ami pour répondre à une invitation ou faire une proposition (il s'agit de reprendre et développer ce que nous avons vu dans l'unité 2) ; dans le DELF A2, on peut aussi vous demander de rédiger une lettre plus formelle pour demander des renseignements. En ce qui concerne la longueur, elle doit être de 40 à 50 mots pour le DELF A1 et de 60 à 80 mots, pour le DELF A2.

QUELQUES CONSEILS POUR RÉDIGER UNE LETTRE

1. Le lieu et la date

On peut mettre l'article **le** suivi du jour, **le 4**, mais ce n'est pas obligatoire. On écrit ensuite le mois et l'année sans article ni préposition : **le 4 mars 2004**.
Devant la date, on peut écrire le nom de la ville où l'on se trouve : **Lens, le 4 mars 2004**

2. La formule d'appel

On peut utiliser différentes formules :
a) **Cher** ou **Chère** + prénom : **Cher Michel** ou **Chère Cathy**
b) **Chers amis / Chères amies**
c) **Salut** + prénom : **Salut Cédric / Salut Anne**

Après le prénom, on met une virgule, mais après **Salut** + prénom on peut aussi mettre un point d'exclamation : **Salut Gégé !**

3. La conclusion et la formule de politesse

a) **À bientôt / à la semaine prochaine / à dimanche...**
b) **Je t'embrasse / Je vous embrasse** (si c'est une relation plus familière)
c) **Bises** et **bisous** sont des expressions réservées à des amis très proches ou à la famille.
d) ou combiner a) et c), par exemple.

4. La signature

Le message

Dans le DELF A2, on peut demander au candidat d'écrire un message à la place de la lettre amicale. Cette variante ne modifie pratiquement pas le contenu du document. Le registre du message peut être plus familier et les phrases sont souvent plus courtes.

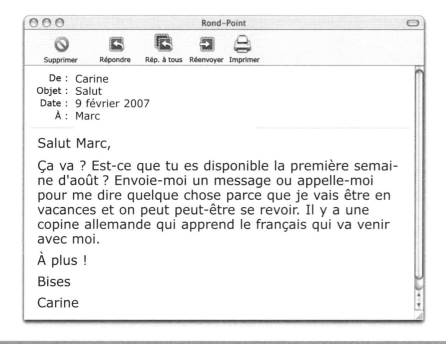

Montreuil, le 9 février 2007

Cher Marc,

Comment vas-tu ? Je t'écris parce que je vais être en vacances la première semaine d'août. Je pense que nous pouvons peut-être nous revoir. Je vais voyager avec une copine allemande qui apprend le français.

Si tu es disponible, écris-moi ou envoie-moi un message.

J'attends ta réponse.

Je t'embrasse.

À bientôt

Carine

```
  ○ ○ ○              Rond-Point
  ⊘        ⬐        ⬐       ⬔      ⎙
Supprimer  Répondre  Rép. à tous  Réenvoyer  Imprimer

 De : Carine
Objet : Salut
 Date : 9 février 2007
   À : Marc
```

Salut Marc,

Ça va ? Est-ce que tu es disponible la première semaine d'août ? Envoie-moi un message ou appelle-moi pour me dire quelque chose parce que je vais être en vacances et on peut peut-être se revoir. Il y a une copine allemande qui apprend le français qui va venir avec moi.

À plus !

Bises

Carine

17. Vous répondez au message ou à la lettre de Carine. Pour vous entraîner, écrivez deux textes différents (entre 40 et 50 mots chacun) : un message et une lettre.

Unité 9
ON VIT BIEN ICI !

1. Dans chaque phrase, vous avez deux éléments indépendants. Unissez-les avec le pronom **où** comme dans l'exemple.

1. Strasbourg est une ville d'Alsace. À Strasbourg, on trouve le siège du Parlement européen.

> Strasbourg est une ville d'Alsace, où on trouve le siège du Parlement européen.

2. Toulouse est une grande ville. À Toulouse, il y a deux lignes de métro.
3. Nîmes est une belle ville. À Nîmes, on peut visiter de célèbres arènes.
4. Carnac est une ville très riche en monuments mégalithiques. À Carnac, on peut voir les menhirs de Kermario.
5. La Normandie est une belle région. En Normandie, on trouve un cidre excellent.
6. Lille est une importante ville du Nord. À Lille, on organise une très grande braderie.
7. La Tunisie est un pays du Maghreb. En Tunisie, la population parle très bien français.
8. La Suisse est un petit pays. En Suisse, on parle plusieurs langues.

2. Reprenez les phrases de l'exercice précédent et transformez-les en utilisant le pronom **y** comme dans l'exemple.

> **1.** Strasbourg est une ville d'Alsace. On y trouve le siège du Parlement européen.

2. ....
3. ....
4. ....
5. ....
6. ....
7. ....
8. ....

3. **Mieux** ou **meilleur/e/s/es** ? Que choisir ?

1. ● À mon avis, on vit bien à la campagne.
   ○ Oui, mais pour moi on vit encore .... en ville.

2. ● Le climat est-il bon dans le Nord de la France ?
   ○ Pas trop, il est vraiment .... au bord de la Méditerranée.

3. La qualité de vie est .... dans une petite ville que dans une grande métropole.

4. On mange .... dans les restaurants des petits villages que dans les bars en ville.

5. Les transports publics sont .... dans les grandes villes que dans les villages.

6. Les services sanitaires sont .... dans les villes de taille moyenne.

7. Je me sens .... dans les villes qui sont au bord de la mer.

8. La qualité de l'air est .... dans les Alpes.

4. Répondez de manière personnelle et en utilisant le pronom qui convient : **le**, **la**, **les**, **l'**, **en**, **y**.

1. Est-ce que tu es déjà allé/e en France ?

> *Oui, j'y suis allé/e plusieurs fois.*

2. Est-ce que tu as pris des photos pendant tes dernières vacances ?
3. Est-ce que tu connais les principaux musées de ta ville ?
4. Est-ce que tu vois souvent ta grand-mère ?
5. Est-ce que tu empruntes des livres à la bibliothèque de l'école ?
6. Est-ce que tu vas souvent au théâtre ?
7. Et tes parents ?
8. Est-ce que tu regardes la télé tous les soirs ?

5. Vous allez entendre huit questions sur l'endroit où vous habitez. Notez-les et essayez d'y répondre.

① ● .... ?
　　○ ....
② ● .... ?
　　○ ....
③ ● .... ?
　　○ ....
④ ● .... ?
　　○ ....

⑤ ● .... ?
　　○ ....
⑥ ● .... ?
　　○ ....
⑦ ● .... ?
　　○ ....
⑧ ● .... ?
　　○ ....

6. Pensez à la vie telle qu'elle était au XVIIIè siècle et telle qu'elle est actuellement. Formulez dix comparaisons en suivant le modèle ci-dessous et en utilisant : **plus**, **moins**, **autant**, **aussi**, **mieux**, **meilleur**, **pire**.

> **1.** Actuellement, *les gens vivent plus vieux.*

2. Actuellement, ...
3. Actuellement, ...
4. Actuellement, ...
5. Actuellement, ...
6. Actuellement, ...

7. Actuellement, ...
8. Actuellement, ...
9. Actuellement, ...
10. Actuellement, ...

7. **A.** Voici une liste de pays : **le Canada**, **l'Italie**, **le Maroc**, **la Suisse**, **la Chine**, **la Tunisie**, **la Belgique**, **les États-Unis**, **l'Inde**, **l'Allemagne**, **le Niger**, **la Pologne**. Selon vous, quels sont les pays les plus peuplés ? Établissez votre classement.

1. ....
2. ....
3. ....
4. ....
5. ....
6. ....

7. ....
8. ....
9. ....
10. ....
11. ....
12. ....

 B. À présent, écoutez le document, vérifiez vos réponses et notez le nombre d'habitants.

> *Les États-Unis : 280 000 000*

8. Placez sur le plan de cette ville imaginaire les noms de la liste :

centre commercial   stade   cathédrale   usine

parc   gare SNCF   pont   fleuve   hôtel de ville

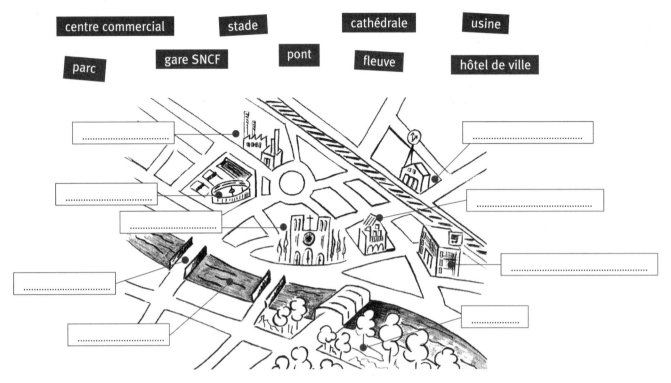

....

....

....

....

....

....

....

....

....

9. Qu'est-ce qu'il y a dans votre ville (ou dans une ville que vous connaissez bien) ? Est-ce que vous y trouvez les éléments de la liste suivante ? Vous pouvez vous servir des adverbes de quantité **pas de**, **peu de**, **un peu de**, **beaucoup de**, **quelques**, etc. pour la décrire.

> Il y a beaucoup de parcs.
> Il n'y a pas beaucoup de vie nocturne.
> Il n'y a pas de musées.

vie nocturne
touristes
personnes qui parlent français
installations sportives
délinquance
usines
problèmes sociaux
espaces verts
collèges
lycées

crèches
circulation
embouteillages
hôpitaux
monuments
vie culturelle
pollution
plages
centres commerciaux

drogue
musées
églises
mosquées
synagogues
temples
cinémas
gratte-ciel
chômage

10. À mon avis, qu'est-ce qui est le plus... ? N'hésitez pas à consulter votre dictionnaire.

Le plus important dans l'amitié : ....

Le plus grave problème aujoud'hui : ....

Le meilleur aspect de la vie : ....

La pire chose dans vos études ou votre travail : ....

Ce qui fonctionne le mieux dans votre ville : ....

Ce qui fonctionne le moins bien dans votre ville : ....

Le mieux pour être en forme : ....

La chose la plus curieuse à voir dans votre ville : ....

11. Vous voulez partir avec des amis en vacances en Guadeloupe et vous voulez visiter Pointe-à-Pitre. Cherchez dans ce site d'information touristique dix raisons pour convaincre vos amis d'y passer quelques jours.

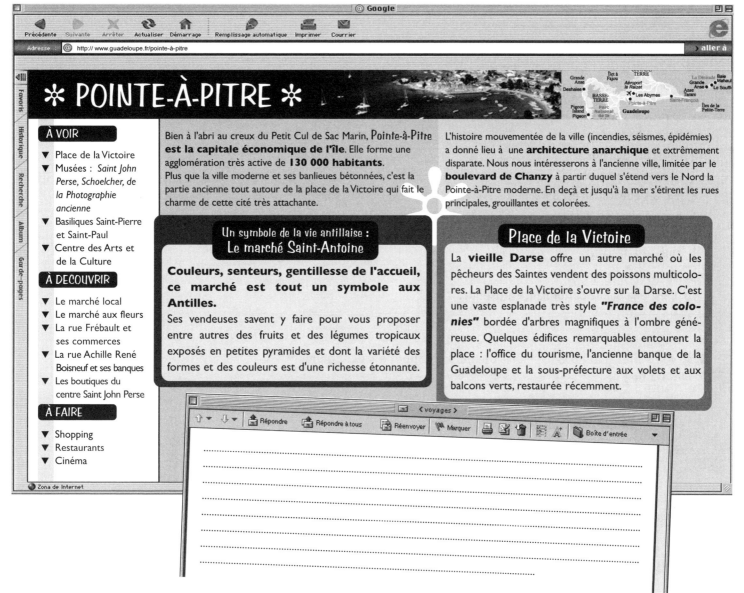

12. À votre tour, écrivez une petite brochure sur votre ville ou votre région. Voici quelques pistes pour ce travail.

♦ Cherchez des renseignements sur les lieux les plus intéressants.

♦ Faites une brève description générale (situation, climat, caractéristiques géographiques, historiques, économiques, etc.).

♦ Vous pouvez intégrer quelques photos ou des images pour compléter ce travail.

♦ Inventez un slogan publicitaire pour la promotion du lieu.

N'oubliez pas qu'Internet vous permet de trouver rapidement des renseignements sur votre ville ou votre pays. Vous pouvez peut-être en trouver en français.

LE [R]

13. Écoutez et indiquez si vous entendez le son **[r]** comme dans **rat** ou **[g]** comme dans **gaz**.

	[r]	[g]
1.		
2.		
3.		
4.		
5.		
6.		

14. Écoutez les exemples suivants puis répétez-les.

1. La **r**ue est ba**rr**ée ap**r**ès le **cr**oisement.
2. Il **t**availle **tr**op.
3. Ce **r**iz est **tr**ès bon.
4. Ce camion est mal ga**r**é.
5. Je **cr**ois que **R**onan est à **R**ennes.
6. Sophie vient de Namu**r**.
7. Ils se sont vus au ba**r**.
8. Elle est caissiè**r**e.
9. Elle ado**r**e dormi**r**.
10. C'est une bonne pe**r**formance a**r**tistique.

15. Vous allez entendre une série de mots. Indiquez s'ils contiennent le son **[r]** ou pas.

	OUI	NON
1.		
2.		
3.		
4.		
5.		
6.		
7.		
8.		
9.		
10.		

Attention : le –r des verbes en –**er** (chant**er**, voyag**er**, mang**er**, etc.) et celui des professions en –**er** (pâtiss**ier**, menuis**ier**, polic**ier**, etc.) ne se prononcent jamais. Dans ce cas, on prononce /e/.

16. A. Lisez ce texte. Êtes-vous d'accord avec Lætitia Lamour ?

> **L'AVIS DES STARS**
>
> ## Vous préférez
> ### vivre en **ville** ou à la **campagne** ?
>
> Même si pour certains la vie à la campagne est plus saine, je pense que vivre en ville présente beaucoup plus d'avantages : on peut aller aux spectacles, profiter de la vie culturelle, des boutiques et des services en tout genre. Les inconvénients de la campagne sont évidents : les insectes, le manque d'intimité qui caracterise en général les petits villages, etc. Toutefois, l'idéal peut être une solution intermédiaire : il s'agit d'alterner la vie à la campagne et la en ville. Mais tout le monde ne peut pas se le permettre ; ou pour des raisons économiques (cela coûte beaucoup plus cher) ou professionnelles (on peut être obligé de rester en ville ou, au contraire, à la campagne).
>
> Lætitia Lamour,
> Actrice. Elle habite à Paris.

B. À présent, écoutez Lætitia Lamour. Elle parle avec des amies. Elle émet des opinions sur le même sujet mais le fait-elle de la même manière qu'elle l'a fait par écrit ?

La conversation est la forme de communication la plus courante entre les êtres humains. Comme vous l'avez vu, l'expression orale a des caractéristiques différentes si on la compare à l'expression écrite. Observez les mécanismes employés par les interlocuteurs. Votre professeur peut vous donner la transcription de la conversation.

Pour donner leur avis, les interlocuteurs coopèrent :

- ◆ en complétant la phrase de l'autre,
- ◆ en utilisant des mots que l'autre a dits ou en les répétant,
- ◆ en s'assurant que les autres comprennent ce qu'on veut dire.

Pour s'exprimer, l'intonation est aussi importante que la grammaire et le vocabulaire.

Les phrases ont des traits propres à l'oral.

- ◆ Elles sont plus courtes.
- ◆ Elles contiennent des répétitions, des hésitations.
- ◆ Elles sont incomplètes.

Ce ne sont pas des erreurs, mais des moyens au service de l'expression.

> ### STRATÉGIE
>
> Dans la conversation, ce qui est important, c'est la coopération entre les interlocuteurs. La coopération peut être aussi bien verbale que non verbale ; parfois un seul mot ou même un geste —voir Unité 7— suffit. Pour communiquer avec efficacité et fluidité, il vaut mieux se concentrer sur l'efficacité de la communication et ne pas s'occuper uniquement de la correction grammaticale.

Entraînons-nous au DELF

Tout au long de ce Cahier d'exercices, vous avez trouvé des conseils et des exercices d'entraînement au DELF A1 et au DELF A2. Nous avons voulu respecter au plus près les descripteurs du DELF proposés par le CIEP et que nous reprenons ci-dessous.

Ces descripteurs s'inscrivent dans le dispositif DELF / DALF (en vigueur depuis le 1er septembre 2005) qui comprend six diplômes indépendants qui prennent en compte le *Cadre européen commun de référence pour les langues*:

Utilisateur expérimenté	DALF C2	
	DALF C1	
Utilisateur indépendant	DELF B2	ROND-POINT 3
	DELF B1	ROND-POINT 2
Utilisateur élémentaire	DELF A2	ROND-POINT 1
	DELF A1	ROND-POINT 1

Unités 1-4 **Préparation au DELF A1** **(environ 60 heures d'apprentissage*)**		**Unités 5-8** **Préparation au DELF A2** **(environ 120 heures d'apprentissage*)**	
Compréhension de l'oral, CO (20 min) Réponse à des questionnaires de compréhension portant sur 3 ou 4 très courts documents enregistrés ayant trait à des situations de la vie quotidienne. (*2 écoutes*)	/25	**Compréhension de l'oral, CO** (25 min) Réponse à des questionnaires de compréhension portant sur 3 ou 4 très courts documents enregistrés ayant trait à des situations de la vie quotidienne. (2 écoutes)	/25
Compréhension des écrits, CE (30 min) Réponse à des questionnaires de compréhension portant sur 4 ou 5 documents écrits ayant trait à des situations de la vie quotidienne.	/25	**Compréhension des écrits, CE** (30 min) Réponse à des questionnaires de compréhension portant sur 3 ou 4 courts documents écrits ayant trait à des situations de la vie quotidienne.	/25
Production écrite, PE (30 min) Épreuve en deux parties : ➤ compléter une fiche, un formulaire ➤ rédiger des phrases simples (cartes postales, messages, légendes, etc.) sur des sujets de la vie quotidienne	/25	**Production écrite, PE** (45 min) Rédaction de 2 brèves productions écrites (lettres amicale ou message) : ➤ décrire un événement ou des expériences personnelles ➤ écrire pour inviter, remercier, s'excuser, demander...	/25
Production orale, PO (5 à 7 min, préparation 10 min) Épreuve en 3 parties : ➤ entretien dirigé ➤ échange d'informations ➤ dialogue simulé	/25	**Production orale, PO** (6 à 8 min, préparation 10 min) Épreuve en 3 parties : ➤ entretien dirigé ➤ monologue suivi ➤ exercice en interaction	/25

* information à titre indicatif. Chaque apprenant ayant un rythme d'apprentissage différent.

Note totale : /100
Seuil de réussite pour obtenir le diplôme : 50/100
Note minimale requise par épreuve : 5/25
Durée totale des épreuves collectives : 1h20 (A1) et 1h40 (A2)

Voici un petit tableau récapitulatif qui vous aidera à retrouver les différentes épreuves du DELF dans ce cahier :

Unités :	A1				A2			
	CO	CE	PE	PO	CO	CE	PE	PO
1	■							
2		■	■					
3	■	■						
4				■				
5							■	
6					■			■
7						■		
8			■		■		■	

Auto-évaluation

1. Complétez le dialogue suivant avec les mots interrogatifs qui conviennent.

- Bonjour, est-ce que vous accepteriez de répondre à quelques questions sur les modes de déplacement des Bordelais ?
  - ○ Bien sûr.
- .... est-ce que vous vous appelez ?
  - ○ Durand.
- .... ça s'écrit avec T ou D ?
  - ○ Avec D.
- Merci. Et .... est votre prénom ?
  - ○ Julien.
- .... est-ce que vous habitez ?
  - ○ À Bergerac, mais je travaille ici, à Bordeaux.
- .... vous faites dans la vie ?
  - ○ Je suis prof de maths dans un collège du centre-ville.
- .... est-ce que vous venez à votre travail ?
  - ○ En voiture.
- .... est-ce que vous ne vous installez pas à Bordeaux ?
  - ○ Bon, Bergerac est beaucoup plus tranquille.
- .... de temps vous mettez pour arriver au travail ?
  - ○ Ça dépend. Il y a souvent beaucoup d'embouteillages.
- Merci beaucoup.
  - ○ Je vous en prie.

2. Réécrivez le texte ci-dessous en remplaçant toutes les répétitions par les pronoms qui conviennent (**le**, **la**, **l'**, **lui**, **leur**, **en**, **y**, **celui-ci**, **celle-ci**, **ceux-ci**, **celles-ci**).

> Giulia adore aller au restaurant avec ses amies. Elles vont **au restaurant** presque tous les week-ends. Quels restaurants ? En général, elles choisissent **les restaurants** parmi les nombreuses crêperies et pizzerias de la ville (budget étudiant oblige !). **Les crêperies et les pizzerias** ne manquent pas et **dans ces crêperies et ces pizzerias**, elles peuvent bien manger et s'amuser ! Mais ce qu'elles aiment encore plus, c'est se faire à manger dans leur « appart » d'étudiantes. Elles habitent **dans ces « apparts »** pendant l'année universitaire. Aujourd'hui, elles ont décidé de cuisiner un vrai menu de chef. C'est sa copine Léna qui a élaboré **le menu de chef**, mais toutes ont préparé **le menu de chef**. En entrée, elles ont fait une salade au chèvre chaud. C'est la première fois qu'elles font **une salade au chèvre chaud** ! Heureusement, c'est une recette facile à faire. Et c'est Giulia qui a fait la sauce vinaigrette ! Ensuite, elles ont fait un poulet à la basquaise à partir des conseils du livre de français —**ce livre** contient beaucoup **de conseils**— et ça a très bien marché. Pour le dessert, comme elles aiment la glace, elles ont fait **une glace**. Pour faire **la glace**, elles ont pris une recette sur Internet. La prochaine fois, elles vont inviter des copains, mais elles vont demander **aux copains** de préparer au moins un plat.

3. **A.** Des incohérences se sont introduites entre les quantités et les ingrédients d'une recette de glace avec des pépites de chocolat. Corrigez-les.

Quantités	Ingrédients
1 litre	de sucre
125 grammes	d'œufs
1/2 douzaine	de lait
300 grammes	de lait de coco
1/2 litre	de noix de coco râpée
un sachet	de pépites de chocolat

B. Voici la démarche à suivre pour faire cette glace. Récrivez les étapes de préparation en utilisant l'impératif et en ajoutant un connecteur (**après – d'abord – enfin – ensuite – puis**).

Blanchir les jaunes d'œufs avec le sucre. | *D'abord, blanchissez les jaunes d'œufs avec le sucre.*

Faire bouillir le lait, incorporer le mélange obtenu, baisser un peu le feu et faire épaissir en remuant.
Hors du feu, incorporer le lait de coco, la noix de coco râpée et les pépites de chocolat.
Battre les blancs d'œufs en neige (+ une pincée de sel) et incorporer au mélange.
Mixer la préparation avant de la verser dans un récipient et la mettre au congélateur.

Concentrez-vous sur les notions suivantes. Pensez-vous que vous les utilisez correctement ? Révisez ensuite les aspects qui vous posent des difficultés.

Je sais utiliser:	Peu	Assez bien	Bien	Très bien
les adverbes et les adjectifs interrogatifs				
les pronoms COD, COI et démonstratifs				
en, y et **où** (choix et place)				
le lexique des poids et mesures				
les connecteurs				
la question				

4. À partir des éléments des deux groupes ci-dessous, inventez dix phrases en suivant le modèle ci-dessous (attention, vous ne pouvez pas utiliser deux fois le même élément).

> plus – moins – aussi – autant – le même – la même – les mêmes – le plus – le moins – les plus/moins

> bon – bien – mauvais – calme – nombreux – grand – les transports publics – l'avion – coûter – polluer

La vie à la campagne est plus calme qu'en ville.

....
....
....
....
....
....
....
....

5. Reformulez les phrases suivantes en utilisant les expressions **venir de**, **être en train de**, **être sur le point de**, **aller + inf.**

Ne fais pas de bruit, le bébé dort.　　　　Il est en train de dormir.

Pierre est parti il n'y a pas longtemps. ....
Demain, je travaille toute la journée. ....
L'avion décolle dans quelques secondes. ....
Le directeur parle avec son collaborateur. ....
Il a terminé son projet hier. ....
Julie arrive ce soir avec le train de 23 heures. ....
Cécile et Soizic sont sorties il y a 2 min. ....
Je ne peux pas venir, j'attends Séb. ....

6. Répondez aux questions suivantes en utilisant **déjà**, **encore**, **ne... plus**.

1. ● Cathy fume encore ?
   ○ Non, ...
2. ● Tu dînes avec nous ?
   ○ Non, ...
3. ● Tu veux plus de spaghettis ?
   ○ Oui, ...
4. ● Tu continues à aller au cours de danse de Mme Leblanc ?
   ○ Oui, ...
5. ● Tu travailles toujours chez Jackie le jeudi ?
   ○ Non, ...

7. Indiquez en lettres l'heure (heure officielle et heure courante – dans ce cas précisez le moment de la journée).

13 h 40 : *Il est treize heures quarante / deux heures moins vingt de l'après-midi.*

12 h 20 : ....

09 h 15 : ....

17 h 35 : ....

00 h 30 : ....

07 h 00 : ....

22 h 55 : ....

03 h 40 : ....

8. Précisez le moment de la journée.

Nous partons demain à 8 heures : *Nous partons demain matin.*

1. J'ai rendez-vous chez le dentiste à 16 h 30 ....

2. Le spectacle est à 20h ....

3. Je mange avec Jacques à 12h00 ....

4. N'oublie pas d'aller chez le teinturier avant 10h ....

5. J'ai une réunion très importante à 15h45. ....

9. Pour bien vous situer dans le temps, complétez ce tableau récapitulatif des périodes et des moments de la journée.

Passé	Présent	Futur
	aujourd'hui	
l'automne dernier		
	ce matin	
		la semaine prochaine
	ce mois-ci	
lundi dernier		
		demain après-midi
hier soir		

10. Écrivez un courrier électronique, assez bref, à un/e ami/e pour lui dire ce qu'il/elle peut trouver dans votre ville et ce qu'il/elle peut y manger.

BILAN AUTO-ÉVALUATION
Indiquez d'une croix de quelle manière vous savez utiliser les différentes notions du tableau.

JE SAIS UTILISER:	PEU	ASSEZ BIEN	BIEN	TRÈS BIEN
en train de				
être sur le point de				
aller + inf.				
venir de				
les formes **ne... plus, toujours, encore, déjà**				
l'heure				
les éléments pour me situer dans le temps				
la comparaison				
le lexique de la ville				
le lexique des aliments				